CW00540600

从备课开始的
100 个课堂活动设计

【英】罗博 · 普莱文 Rob Plevin 著

THE FUN TEACHER'S TOOLKIT:

HUNDREDS OF WAYS TO CREATE A POSITIVE CLASSROOM ENVIRONMENT & MAKE LEARNING FUN

中国青年出版社 CHINA YOUTH PRESS

图书在版编目(CIP)数据

从备课开始的100个课堂活动设计：创造积极课堂环境和学习乐趣的教师工具包 /（英）罗博·普莱文著；邓亚琼译.
—北京：中国青年出版社, 2019.1
书名原文：The Fun Teacher's Toolkit: Hundreds of Ways to Create a Positive Classroom Environment&Make Learning FUN
ISBN 978-7-5153-5343-2
Ⅰ.①从… Ⅱ.①罗… ②邓… Ⅲ.①课堂教学－教学研究 Ⅳ.①G424.21
中国版本图书馆CIP数据核字（2018）第232570号

The Fun Teacher's Toolkit: Hundreds of Ways to Create a Positive Classroom Environment & Make Learning FUN By Rob Plevin.
Copyright © 2017 Rob Plevin Needs Focused Teaching.
Simplified Chinese translation copyright © 2018 by China Youth Press
All rights reserved.

从备课开始的100个课堂活动设计：
创造积极课堂环境和学习乐趣的教师工具包

作　　者：[英] 罗博·普莱文
译　　者：邓亚琼
责任编辑：周　红
美术编辑：杜雨萃
出　　版：中国青年出版社
发　　行：北京中青文文化传媒有限公司
电　　话：010-65511272/65516873
公司网址：www.cyb.com.cn
购书网址：zqwts.tmall.com　www.diyijie.com
印　　刷：大厂回族自治县益利印刷有限公司
版　　次：2019年1月第1版
印　　次：2019年1月第1次印刷
开　　本：787 × 1092　1/16
字　　数：90千字
印　　张：10.5
京权图字：01-2018-1861
书　　号：ISBN 978-7-5153-5343-2
定　　价：33.80元

版权声明

未经出版人事先书面许可，对本出版物的任何部分不得以任何方式或途径复制或传播，包括但不限于复印、录制、录音，或通过任何数据库、在线信息、数字化产品或可检索的系统。

中青版图书，版权所有，盗版必究

The Fun
TEACHERS
Toolkit

赞誉之词

我们很高兴能够让罗博与我们合作，从一开始他的方法就吸引了整个团队，并且让我们始终沉迷其中，我们将邀请罗博回到每一个可能的场合给老师进行培训。

罗博·普莱文先生，在整个活动期间彻底探讨并解决了教室行为管理方面的问题。此外，在某些学校教学工作的展开遇到了极大的挑战，罗博·普莱文先生也出神入化地解决了他们的担忧。我们将会抓住任何机会，在任何场合下，力邀罗博·普莱文老师与我们的参会者和学员共同工作。

——谢菲尔德哈勒姆大学“教育优先”区域总监　特里·哈德森

罗博已经在赫尔大学的中学PGCE开展他的以需求为中心的教学管理课程三年了，每年我的学员不仅能从他的课程里得到灵感，还学会了如何更有效地管理学习环境。罗博的课程是建立在良好关系的基础上的，受训者可以效仿罗博。课程非常有趣，结构良好。罗博经验丰富，优秀的老师都认可他的方法。

——赫尔大学中学ITE项目主任　安妮·博尔博士

今年是我教学的第30个年头！您可能会说，经过了30年的教学，我不必再看您那些很棒的视频资料、不必阅读您的博客，也不必再浏览您的网站了，但是，我很庆幸我没那么做，我整整一个下午都沉浸在您的书本之中，愉悦地听完了、看完了，也读完了您书中所有的宝贵信息，真是获益匪浅！从现在起，罗博先生，我将会成为您最忠实的粉丝之一！

——美国教师　凯丽·特克

非常感谢您精彩绝伦的视频，我从您的创造性像秘密特工一样的方法中受益颇深！它让我调皮淘气的学生乖得像老鼠一样安静！谢谢您！

——参加教师培训后的受益教师　亚萨娜·萨菲

幸亏我及时参加了罗博·普莱文的讲习研讨班，才没有放弃我的教学生涯。这种讲习研讨班是强制性的——每个人在教学中都应该参加一个“以需求为中心”的讲习研讨班，并能有幸遇到一位心地善良的人，帮助你看到你在学生当中的价值，特别是面对最难搞的学生时，你能发挥更大的作用。

——**美国教师　希瑟·比姆斯**

不得不感叹，有那么多人从您的视频中获益良多！教师的时间是有限的，我们都需要更多快速且有效的教学策略。但老实讲，以往的教师专业发展训练课程都是白白浪费时间而已；你可能花了整整一天，才能得到一点启示。但是在罗博先生的书里面，你只需5分钟，就能得到数不尽的教学策略。

——**教师　玛丽安**

今天对我来说真是美妙的一天，我接触到了很多极富见识、平易近人且非常有趣的知识。我经历的任何一门课都比不上罗博先生的课，他的课是那样令人赏心悦目、获益匪浅。因为令我印象太深刻了，所以我极力推荐学校邀请罗博先生，希望他能来校，给我们所有人举办一场研讨会。这样，我们便都能从他渊博的知识、丰富的经验和不时的幽默中获益良多。

——**讲习研讨会参与者　理查德·劳森埃利斯**

罗博先生，我在课堂上使用了大量您提到的教学技巧，被学生们评价为最好的代课示范教师。多亏了您，多亏了您的建议，我才让来自30多所学校的学生真正融入课堂，而不是在课堂上互相扔铅笔玩儿。

——美国教师 莱斯利·缪勒

非常感谢罗博先生，您提供的真是极妙的方法，能为所有学生创造一个平静、安稳的学习环境。您在书中说道，师生间的互动模式应该是各有主张且相互尊重的，我认为您说的对极了。

——教师 马里恩

书中以非常清晰的简洁方式，给我们介绍了教学技巧和提示。作为学校实习老师的协调员，我将推荐正在我这里参加培训的老师，都去看看这些视频。

——教师 德布

自从我开始遵循您提到的教学原则，我便开启了巨大的进步历程。昨天，我讲了一个小时的面试课，课后他们告诉我，我的课程很棒，他们很喜欢我在教学中的热情，于是我便得到了那份工作！

——教师 黛安·格林

终于在现实生活中找到具体可行的方法了，我已经受够了那些从来没有真正踏进课堂而只知道空谈理论的人了。万分感谢，作为一名新老师，我觉得这是无价之宝！

——一名年轻新教师　亚斯娜

非常感谢您！我在教学中采用了您书中的教学方法，这让我和学生们度过了美好的课堂时光。作为一位新晋教师，这本书让我变得更优秀更自信，简直是无价之宝。

——美国教师　杰斯

我已经见证了奇迹的发生，除了奇迹我找不到其他合适的词汇来形容了；我的学生在态度和行为方面都有了极大的改善；他们对自己的教育经历变得非常感兴趣；我还能奢求什么呢？这个在线网站成了我的教学圣经！我是其虔诚的信徒！爱你们。

——英国教师　道恩

非常感谢罗博为这个职业所做的一切，您的教学策略真的创造了一个又一个的奇迹。我从来没有试过您提到的“铅笔”游戏，但是我保证下次会认真试试。老实讲，我把您的作品推荐给了很多我熟知的年轻老师，因为他们在教学活动中有时会遭到挫败而闷闷不乐，所以他们很需要您的帮助！再次真诚地感谢您，期待您再创佳作！

——**英国教师　玛丽**

真是收获满满的一天啊！特别是您有关“积极强化”和“关系重要性”的讲授，真是让我难以忘怀。我想让您知道，您改变了我40个学生的人生轨迹。真诚地感谢您！

——**新加坡教师　乔安妮**

作为一名PGCE的学生，很荣幸能够有此机会，获得这么多投我所好、易知易行的信息资源。罗博·普莱文老师提供了一系列非常实用的、发人深思的宝贵材料资源，这些资源在课堂行为管理方面可以发挥巨大作用。书中所提到的所有策略，都能很容易地在课堂上展开。即使你从未经历过“地狱”般的课堂，熟读本书，你也会开卷有益。

——**美国教师　史蒂夫·爱德华**

真的不胜感激。回想自己以往的教学经历，感觉老是自寻烦恼。在我的课堂上，孩子们总是不安分，往往会白白浪费一堂课，然后我又忧心忡忡。您的建议真是我的及时雨，采用了您的策略，我以一种积极的、非对抗性的方式让孩子们安静了下来，并且与他们建立起了融洽的关系。您的书真是我的“救命”良药！

——教师　菲利普·罗萨里奥

本书简明易懂的视频教学，对于那些对教学感到失望的老师来说，真是雪中送炭。看完视频后，我立即将该视频内容发送给了我的校长！

——教师读者　萨姆纳·普锐斯

罗博先生，非常感谢您分享的教学经验，也很感谢您提供的这些简单却有效的方法。我所在的班级，学生经常做出让我很沮丧和难过的行为（或者实际上是我自己没能好好控制班级）。在那段日子里，我不知如何是好，感觉任何做法都于事无补。但是多亏了您的帮助，让我学会了如何更好地控制课堂。

——教师　娜塔莎·格瑞德索娃

目睹教师运用罗博的教学策略不失为一件有益之事，见到其神奇的教学效果则使人愈发受到启发。感谢您让我工作更加容易，同时也使过去的教学经历得到验证。

——美国教师培训项目负责人　谢丽尔·E.乐丰

为了支持北爱尔兰的教师培训，我们特意开展了“以需求为中心”的行为管理研讨会。研讨会进展顺利，并且被广泛接受，老师之间也相互分享了会中提到的教学思想、策略以及日常教学活动，着实大大改善了课堂表现。从对学校的理性考察到老师给出的反馈，都证明该会议提供的方法行之有效。

——阿尔斯特大学教育学院PGCE课程领导 西莉亚·欧哈根

目录

第二章 吸引学生注意力的有趣方法 ••• 041

第三章 深化课堂学习的体验式戏剧活动 ••• 067

第四章 密切师生关系的魔术时刻 ••• 077

前言

“以学生需求为中心”的教学法

什么是“以学生需求为中心”的教学法？它将如何在教学实践中帮助教师呢？“以学生需求为中心”的教学理念是在亚伯拉罕·马斯洛的需求层次理论基础上首次引入学校教学中的全新教学理念。亚伯拉罕·马斯洛在他的需求层次理论中表明，人类有着广泛的情感需求和心理需求，从对爱的需求到自我实现的需求等。

“以学生需求为中心”的教学理念将人的心理需求分为三大类，它们在预防问题和应对学生不当行为方面至关重要。一是对“权利”的需求：人们渴望被认可，渴望自由和自主选择权，渴望功成名就并且能对社会做出贡献，希望自己拥有卓越的能力。二是对“乐趣”的需求：人都有好奇心，充满趣味的事物更能让我们愉快地学习和成长，这种趣味还包括冒险、惊喜及多样化，这些让我们的生活更加丰富多彩。三是对“归属感”的需求：包括被重视、被欣赏、被需要以及超越自我的需求。

试想一下，如果我们没有需求，且对需求没有足够的自主控制权，也没有一定的选择权和自由，谁的生活美好得起来呢？所以我们有对“权利”的需求。如果我们的生活没有一点幽默感、没有花样、没有趣味，我们的生活又该多无聊？因而我们有对“乐趣”的需求。如果我们得不到重视，又不被欣赏，那么与这个社会格格不入的孤单感将会油然而生，而我们对“归属感”的需求尤为强烈。

当这三种需求得不到满足，当它们从我们的生活中一一消失，我们往往会感到沮丧和不安。此时，所有的问题可能都会接踵而至。

想象这样一个教学场景：老师没有设计任何导入活动来吸引学生的注意力，没有根据课程需要给学生设计合适的任务；课堂呆板没有新意；教室死气沉沉，没有任何欢声笑语；一堂课下来，学生一无所获，师生之间也毫无互动交流。

这样的课堂，只会让学生厌学：整堂课没有任何舒缓人心的音乐来营造轻松自在的课堂氛围；没有任何新奇的活动道具用来吸引学生的注意力；没有适时的休整来让学生精神焕发；没有恰如其分的赞许让学生再接再厉；没有百变多样的教学风格让学生对课堂流连忘返……

那么，在这样的课堂上通常会发生什么呢？当然，学生会在课堂上调皮捣蛋。可能一开始，他们只是简单无聊地在课本上涂鸦或者同学间相互传纸条。倘若不及时制止，就会越发不可收拾，学生的行为也会变得越来越具有破坏性，他们甚至会在教室里随意走动、互相扔东西、公然大喊大叫、对老师出言不逊、不听老师的安排、不完成作业、肆无忌惮地玩手机……总之，就是想做什么就做什么。而这一切不当行为发生的根源，就在于学生的需求没有得到满足，这些行为反映出了他们内心的不满和沮丧。

所以，我们应该铭记，心理需求的满足至关重要。我们每个人的心理必须首先得到满足，因为它是一种原始的、潜意识的渴望。心理需求得到满足对于我们的重要性，就如同阳光和水对于植物的重要性一样。如果在教学活动中，老师没能提供一些方法来满足学生的这些需求，那么学生将会自己去寻找让自我满足的方式，而这些方式极有可能是偏离正轨的。换句话说，如果你不给他们乐趣，他们就会自己创造乐趣；如果你不让他们感受到权利，他们会以自己的方式维护自身权利；如果你没能让他们觉察到自己的价值，那他们就会选择离开，并可能成为一些到处招惹麻烦的小混混。（说到这里，我想问一问各位老师是否想过，为什么“黑帮”对年轻人的吸引力如此巨大？）

“以学生需求为中心”的课堂管理/教学法系列所阐述的那些独

特新颖的教学理念和方法，在全球40余个国家经验证后证明，即便面对的是最淘气、最厌学的学生，仍旧能行得通。在过去的10余年间，这些教学理念和方法被证实，在提高学习效率、改善学习成绩、培养互信情谊以及创造积极的课堂学习氛围方面卓有成效。

“以学生需求为中心”的课堂管理/教学法系列将帮助教师：

提高教学设计；

改进班级管理；

维持学习热情；

追求职业荣誉；

得到学生尊重；

……

关于本书

本书是“以学生需求为中心”的课堂管理/教学法系列之一，主要讲授如何运用有趣的课堂活动设计在课堂一开始就吸引学生注意力，并让他们整堂课都全神贯注、主动积极爱上课堂学习。书中提供了各种各样的游戏、趣味性活动，以及激发学习动力的活动和好点子，这些方法可以用于几乎任何课程主题和学科领域。帮助教师从备课之初，到上课、说课、做课，以学习结果为导向进行逆向思考。运用这些课堂活动设计于教案中，可转换设计课堂活动的视角，坚持“以终为始”的教学设计，优化课堂为探究、分享、合作，翻转教学为趣味、互动、有吸引力，保证学生适度的自主权和选择权，获得通过自身的努力而得到认可的成就感和成长体验；通过师生之间的合作交流和动态学习来深化对知识的记忆；创新的多媒体辅助教学手段，更好地适应互联网+时代组合教学需求，轻松打造学生热情参与、充满吸引力的互动课堂；真正实现学生、教师、课程、教学、课堂各要素的课堂转型重建，快速提升教师的影响力和教学能力，显著改善学生学习效果，彻底构建师生学习共同体，达成课程改革目标。

本书所有教学活动和方法，都经过实践检验，可以直接使用。你也可以稍加添减和调整，让它变得更适合你的课堂，因为都是可灵活变通的。衷心地希望本书能帮助你设计出有创意的课堂，同时也帮你节省宝贵的时间。

更多拓展教学资源，请访问网址：

www.needsfocusedteaching.com.

第一章

课堂游戏为课堂教学和学习增添乐趣

每位教师都可以受益于课堂游戏。在过去六年从事教师培训工作期间，我曾问过这样一个问题："你们为什么认为在课堂上玩游戏很重要？"根据收到的反馈我总结出了下面这些重要原因。如果你以前没有经常做课堂游戏，希望这些原因可以鼓励你以后在自己的课堂上多做游戏。

原因一　游戏使学习变得有趣

游戏可以引起学生的兴趣，引导他们交流学习主题，把学习和快乐联系起来，这样一来，游戏把快乐和活力都带入了学习领域。学生可以在一个友好的竞争环境中展示对学习主题的理解。在这种环境里，成功对于学生来说，是分享喜悦的难忘时刻，失败也不会被视为学生的不足。因为游戏本来就是玩一玩，学习内容本身的难度，甚至是新知识或者难点知识，都不是大家考虑的内容。

原因二 游戏提高学习成效

课堂游戏适合各种不同学习风格的学生，因为游戏既需要逻辑思维，也需要实证思维来帮助学生记住他们所学的内容。游戏提供的环境，可以使不够积极的学生在学习过程中变得主动。

原因三 游戏可给学习者提供及时反馈

游戏用易于接受的方式对学生的表现立即进行反馈，比如如果你讲笑话的时候大家都笑了，那么这就表示你成功了。当你参加一项游戏的时候，成功和失败可以反映出你参与和投入游戏的质量。游戏是一个非常宝贵的学习机会，因为你可以获得老师适当的纠正和反馈。

原因四 游戏建立归属感，培养积极的师生关系，发展班级团队意识

游戏把玩游戏的人变成一个团队，让他们明白作为团队一员，与他人相处、共同合作的原则和自己要扮演的角色。游戏还可以给你的学生一个机会，让他们与同龄人密切互动，分享游戏体验过程中经历的高潮和低谷，使他们能够建立紧密的联系，并能进行团队建设。

原因五 游戏可以教授社交技巧

这是十分重要的一点。游戏提供了一个可以学习和练习社交技能的场合。我们不能光是告诉一个人要有更好的社交技巧，我们也不能“让”他们和其他人友好相处。他们必须自己学习这样做的好处。学生很快就会发现，他们要想很好地参与一项有趣的活动或游戏，唯一途径就是遵守游戏规则，或者使用适当的社交技巧，这些技巧在现实生活中也能被利用起来。

课堂游戏1　宾果游戏

简介：这个游戏遵循传统宾果游戏的形式，但出乎意料的是这是一个很受欢迎的游戏。

准备材料：

- 准备一份术语和定义的清单。为了制作5×5方形宾果卡片，你需要25～35个词。
- 每个学生一张卡片。
- 用记号标记宾果卡上的方格区域。

时间：大约10分钟（可以延长活动时间，第一次玩这个游戏可能会超过10分钟。等参与者知晓了自己该做什么，就可以鼓励他们快速地完成游戏）。

游戏规则：

1. 每个学生都有一张卡片，上面有一个表格显示了与教学内容相关的术语或者答案。

2. 老师读出一个定义，如果学生的表格上有一个与该定义相匹配的术语，他们就用记号标记相应的方格。当学生标记了五个可以连成线的方格或者整个表格都被标记的时候，这种情况就代表胜利。

B	I	N	G	O
礼物	切蛋糕	宠物狗	抢包	许愿游戏
奶奶	十一岁	愿望	派对	朋友
冰淇淋蛋糕	唱歌	*	蜡烛	吉姆
侦察员	生日	3月20日	邀请	六年级
汉堡包	足球	小丑	同学	1998

宾果卡片参考模板

小贴士

一种快速简单、只需最少的准备就能玩这个游戏的方式，是为每个人提供一个空白的表格，甚至让他们自己绘制表格，表格上要有6个空格。在黑板上写出30个与教学主题相关的术语、关键字或者答案，并让他们选择任意6个填写在其表格的空格中。

课堂游戏2　记忆游戏

简介：对于简单的记忆型学习任务，比如记忆术语和定义来说，这是一个特别合适的游戏，而且这个游戏可以在上课中途让学生集中精神。

参与人数：单独、成对、小组或全班活动皆可

准备材料：

- 多组成套的问答卡片。
- 准备不同类型卡片：

  问答

  术语与定义

  图像与标签

  假设与结果

真假陈述

日期与事件等

时间：大约10～15分钟

游戏规则：

卡片正面朝下放在桌上或者贴在黑板上。学生一次翻两张卡片，如果两张卡片正好一对，可以将卡片从黑板上取下并且继续翻卡片。如果两张卡片并不成对，请将卡片再次正面朝下放好，然后下一个人继续游戏。

注意：

如果全班一起玩这个游戏，请将卡片贴在黑板上。让学生到黑板前来做选择，这样可以给游戏增加更多身体活动，也更适合爱动的学生。

课堂游戏3　禁忌词游戏

简介：猜字游戏从黑板游戏创始人哈斯布罗开始变得有名。这个游戏的目的是让游戏者的队友猜他卡片上的词，禁止使用这个词或卡片上列出的其他9个禁忌词。这个游戏适合任何教学主题。

参与人数：成对、小组或全班活动皆可。

准备材料：

一套写有禁忌词的卡片（词语可以和教学内容相关）、蜂鸣器、计时器

时间：大约10～15分钟（可以延长游戏时间）

游戏规则：

1. 玩家轮流做发言者。发言者要努力提示队友，让其在指定的时间内猜出尽可能多的关键词。

2. 每张卡片上都列有禁止使用的禁忌词。

3. 如果发言者说了禁忌词，来自对手组的裁判可响铃警告（如果有准备此道具），然后发言者必须开始描述下一个词。

4. 发言者只能用语言提示他的队友，禁止使用手势、拟声词和图画。发言者的暗示不可以和禁忌词押韵，也不可以是禁忌词的缩写。

5. 只要猜出了写在卡片上的词，就可以继续猜下一个词，请尽力在有限时间内猜出尽可能多的词。

6. 一组的猜词时间结束之后，下一组接着游戏。积分规则为答对一个词奖励一分，如果说了禁忌词就要扣除一分。

课堂游戏4 “找不同”游戏

简介：学生会被提供多组单词或者图片，他们要选出每组中和其他单词或图片不一样的那个。此游戏适合各水平学生和教学主题。

参与人数：单独、成对、小组、全班活动皆可。

准备材料：

准备多组图片和单词，每组有一个图片或单词与其他的不同，可以显示在卡片上、任务表上或者在白板上以幻灯片形式展示。

时间：大约10～15分钟（可以延长游戏时间）

游戏规则：

1. 全班活动：每人一张答题卡，在白板上以幻灯片形式向学生展示问题，每个人在规定时间内独立答题。

2. 小组/成对活动：过程如上，只是分小组或者成对完成他们的答题卡。

小贴士

小组或者成对活动时，可以由对手小组根据学科知识来制作卡片。

例1：

A. 东京　　B. 悉尼　　C. 纽约　　D. 巴西

答案：D（国家，而不是城市）

例2：

A. 萨莎昨天睡了一整天。　　B. 保罗正在旅馆工作。

C. 托尼正在洗车。　　D. 我们正在用最快的速度行走。

答案：A（过去时）

课堂游戏5　“一分钟”游戏

简介：同名流行广播节目的课堂版，此游戏适合各种水平学生和教学主题。

参与人数：少于40人，小组或全班活动皆可。

准备材料：

计时器、蜂鸣器、写有主题建议的独立卡片

时间：大约10～15分钟（可以延长游戏时间）

游戏规则：

1. 将全班分成两组或多组。

2. 每组学生轮流抽取主题卡片，然后就主题内容进行60秒的发言（水平较低或者低年级学生发言时间可定为30秒）。

3. 对手组可以根据下面的规则质疑发言人：

- 停顿——这个是最好质疑的现象，如果发言者说话时出现“嗯……”或者“呃……”都属于停顿。

- 重复——除了标题出现过的单词，发言者不可以重复任何单词和词组。当然如代词、介词等这类词是可以重复的。

- 偏题——高年级或高水平学生更容易判断是否偏题，如果发言者偏离主题，对手可以提出质疑。

4. 裁判可以根据以下几点进行评分：

- 发言者能在规定时间内完成发言记2分；
- 一次正确的质疑记1分；
- 如果对手质疑错误，发言一方记1分（如果对手的质疑被裁判认定错误，发言者继续主题发言）。

5. 如果裁判裁定对手的质疑正确，请将游戏权转移给对手组。

课堂游戏6 “滔滔不绝的说话者”游戏

简介：这是一个节奏很快并且很有趣的游戏，一个学生尽力让他的队友在规定时间内说出一张列表中的所有关键字。此游戏适合各水平学生和教学主题。

参与人数：少于40人，小组或全班活动皆可。

准备材料：

计时器、蜂鸣器和关键词卡片

时间：大约10~15分钟（可以延长游戏时间）

游戏规则：

1. 将全班分成两组或多组。

2. 每组的一个发言者必须向他的组员描述或模仿每个关键字。

3. 每组有60秒时间尽力猜出他们的发言者描述或模仿的关键字。

4. 按下列标准评分：

- 30秒内说出所有关键字记3分
- 45秒内说出所有关键字记2分
- 60秒内说出所有关键字记1分

5. 1分钟游戏时间到后，请将游戏权交给对手组。

课堂游戏7　顺序球游戏

简介：这是一个简单而有活力的游戏，学生用球标记顺序和某个过程的步骤。

参与人数：少于40人，通常单独进行游戏

准备材料：

一个泡沫球或者豆袋（豆袋的好处是没有弹性）

时间：大约10～15分钟（可以延长游戏时间）

游戏规则：

班上的一个学生说某个单词的第一个字母或者某个顺序的第一个步骤，然后把球传给另一个人，这个人必须说出下一个字母或者下一个步骤。

课堂游戏8　问答卡片接力赛

简介：这是一个适合小组进行的快速激烈的接力赛游戏。

参与人数：少于20人，通常3～4个小组

准备材料：

预先写好的问答卡、教室两面墙上的空闲地方

时间：大约10～15分钟（可以延长游戏时间）

游戏规则：

1. 老师按下列要求准备问答卡：在一副卡片上写上术语或者问

题，在另一副上写上定义或者回答。将问题卡贴在一面墙上，答案卡贴在另一面墙上。

2. 每组需要一个同学跑去拿下一张术语卡或者问题卡，然后和定义卡或者答案卡匹配。

3. 完成一个配对的小组得1分，然后下一组成员可以过去拿卡，游戏的最后，获得最高分数的小组获胜。

课堂游戏9　字谜接力游戏

简介：学生以组为单位在这个容易布置的游戏里进行接力竞赛，竞赛内容是作藏头诗或者相似的谜语。

参与人数：少于40人，通常4～5组进行游戏

准备材料：

糖果纸或者活页纸、计时器。

时间：大约10～15分钟（可以延长游戏时间）

游戏规则：

1. 老师写出或者说出主题词。

2. 每组中的一个成员在糖果纸或者活页纸左边写下主题词，单词需要是粗体或者彩色的，然后把纸钉在教室的一面墙上。

3. 组内其他成员需站在教室另一边，站在纸的对面。

4. 游戏开始时，组员们轮流跑至纸前，给他们的藏头诗或者字谜添加一个单词，再将笔传给下一个人。

5. 第一个完成谜语的小组获胜。

注：如果你想要学习更多的课堂游戏，可以参考另一本书《让学生快速融入课堂的88个趣味游戏》（中国青年出版社，罗博·普莱文著）。

The Fun

TEACHERS

Toolkit

第二章

吸引学生注意力的有趣方法

方法1　使用特定的人偶或者玩偶辅助相关的主题教学

人偶不仅可以为课堂增添幽默感，还可以帮助老师教授社交技巧、解决学生之间的分歧，亦能改善所有年龄层次学生的学习。

人偶的用途很多，可以用来介绍、演示教学内容，可以充当课堂小测验的主持人，还可以用于问答或者“咨询专家”环节等等。

——医生或者护士人偶，可以帮助老师教授人类生物学、生命平衡、维生素等方面的知识；

——“疯狂科学家”人偶，可以帮助老师教授科学知识；

——农民人偶，可以帮助老师教授关于自然环境的知识；

——外星人人偶，可以帮助老师教授行星和太阳系的知识；

——来自不同国家和民族的人偶，可以用来谈论他们的生活和信仰。

方法2　将人偶作为课堂管理的辅助工具

小孩子往往很容易回应人偶的要求，而且是积极回应。人偶还能在高度紧张和情绪化的情况下，提供急需的幽默，来缓解这种紧张的气氛。比如人偶潘趣先生（英国木偶戏《潘趣和朱迪》的主角）。

方法3　用人偶来解决学生中的分歧

在解决分歧时人偶是一个非常有效的调节者，可以借助人偶问一些问题，比如：

- 发生什么了？
- 你们在想什么呢？
- 你现在觉得怎么样？
- 还有谁被这个影响了？
- 你现在需要什么来解决这个问题？

方法4　用人偶来帮助发展学生的演讲能力和社交能力

学生假装成人偶，或者对着人偶作演讲，他们会觉得轻松得多。同样，学生使用人偶表演，或者用人偶来进行角色扮演，可以锻炼他们的社交能力。

方法5　14个必备教学道具

使用道具是吸引学生注意力的好方法，道具主要有两个用途。首先，道具是非常有趣的，比如猫王的假发或者小丑的鼻子。这些道具可以逗人开心，并使人对学习感兴趣，可以让学生的心情保持愉悦，还可打破老师讲课和演示时的枯燥乏味氛围。另外，道具还可以作为教学的辅助手段，它可以使教学内容更容易理解，可以集中学生的注意力，还可以用直观和具体的方式演示抽象的概念。这里列出了一些你可能用到的道具。

1. 图片

与你的教学主题相关的杂志或者报纸上的剪报、电脑打印出来的照片、海报图片和真实照片，这些都可以用来检验假设、说明观点或者就此进行讨论。这些图片可以用于各种教学活动，也可以引出包含“谁”“什么”“哪里”“何时”“为何”“怎样”这些疑问词的问题。比如：

- “请描述图片中正在发生什么事。”
- “你认为接下来将发生什么事？”
- “这个人正在说什么？”
- “你认为这个人的感受是什么，为什么？”
- “这件事情正在哪里发生？”
- “这是什么时候发生的？”

2. 彩色记号笔

教师在使用活页纸和展示板时应准备一些彩色记号笔。彩色记号笔可以帮助学生从视觉上更好地记忆重点。比如在语言教学时，用不同颜色表示不同的时态、结构和功能。使用彩色记号笔要注意的重点是一致性。如果你在解释或演示时用绿色表示了过去时，那么请从这开始一直用绿色表示过去时态。

3. 录音机和录像机

录音机和录像机通常是用来向学生展示听力和视觉学习材料的。有一次我在上一堂关于形容词的课，录音中我的老父亲用他浓重的柴郡口音只说了三个字："非常棒。"这是一种新颖的开头方式。孩子们立刻想知道录音里是谁，我为什么要放它，之后我成功地吸引了学生的注意。

接下来的故事讲述了在我的成长过程中，每天晚上吃完饭后，我都会听见爸爸对妈妈说同样的三个字。没有变化，只是同一句"非常棒"，不管这顿饭多么美味，也不管它花了多少时间和精力。

然后我们讨论了他可以用哪些替代词来代替"非常"和"棒"去表达他的感受，比如"真美味"等一些词，然后把这些讨论作为一堂课。我们浏览了词库，找出了更多的替代词。作为主要的教学任务，每个学生都制作了一张写有合适短语的词语表，供我父亲下次坐下吃饭时使用。

在课堂上使用录音机和录像机的一些其他建议：

A. 在学生互相解释重点时录下他们的对话：这种反馈是宝贵的，并且比简单的老师纠错，效果好得多。当学生听到录音中自己的对话时，他们总是可以很快地发现自己的错误。

B. 让学生准备一段演讲或对话的视频或者录音。学生为了完成任务，准备材料的时候往往会全身心投入到这个项目中。这种任务有助于有效的长期学习。

C. 让学生组队拍摄广告、新闻节目、专家采访或教学视频作为当前的学习任务。对于害羞的学生来说，这种任务可能有点痛苦，但是完成这样的学习任务肯定能让学生记忆深刻，而且经常能发掘出他们的某些惊人天赋。

4. 帽子、假发、面具、胡子、眼睛等等

这些道具可以帮助学生迅速进入到角色扮演中去，或者进入到做问答游戏（见下一条）时的角色中去。

5. 刻有各种角色的骰子

在课堂上任何需要进行问答环节的时候，我们都可以使用这种骰子来增加幽默感，还可以提升学生的自信。模板参见图1。

简单地要求学生，要么以指定的方式（如下）回答问题，要么掷骰子按角色风格回答。

建议的回答风格：

- 新闻广播员
- 修道士（格里高利圣咏，一种朗读方式）

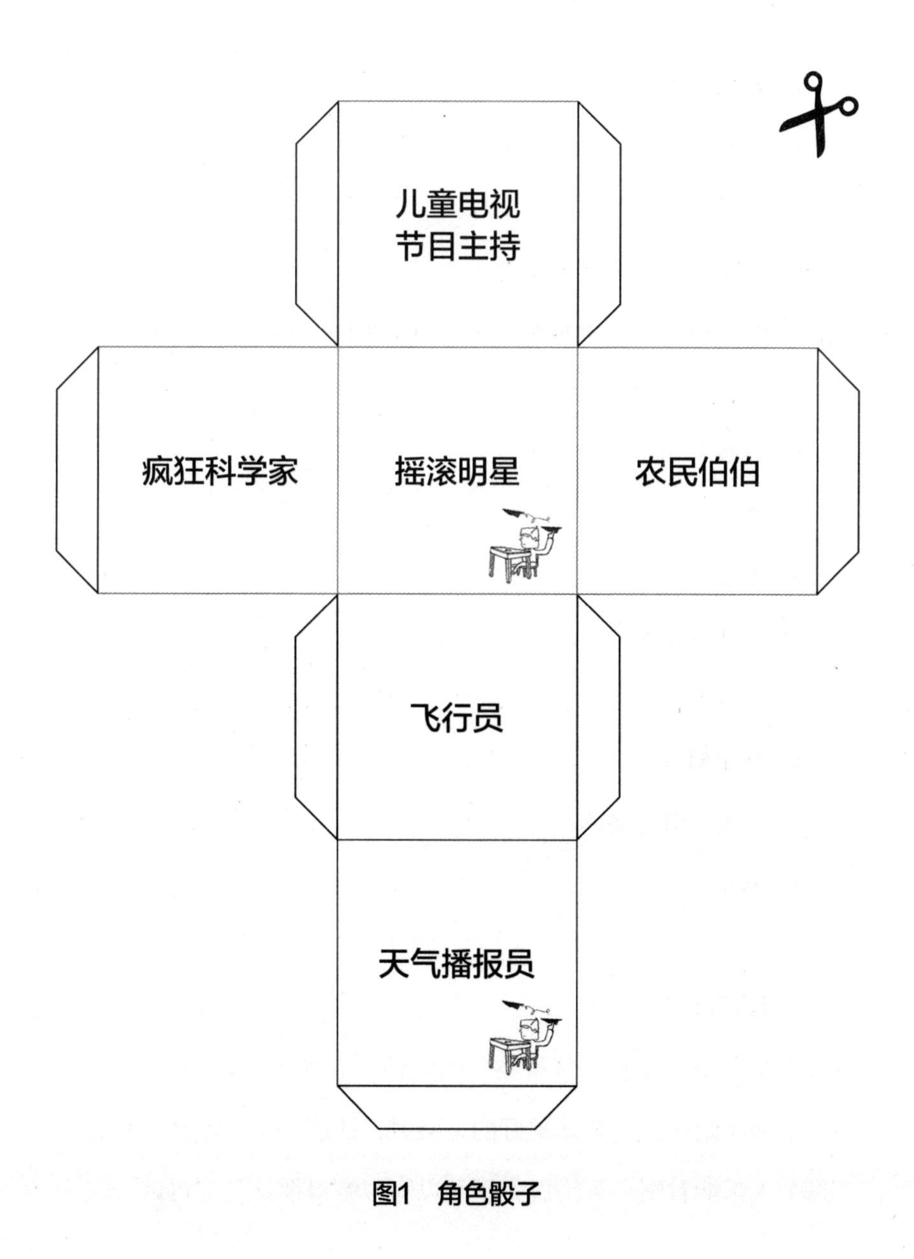

图1　角色骰子

- 建筑工人
- 德拉库拉伯爵（吸血鬼）
- 非常快乐的人（中彩票/高速游艇获胜者）
- 悲惨的人（彩票没中奖）
- 生气的人（彩票中奖了但是彩票被偷了）
- 非常无聊的人
- 超级英雄
- 农民
- 疯狂科学家
- 天气预报员
- 飞行员
- 摇滚明星
- 儿童节目主持人
- 丑角

6. 反馈牌

给学生一个写着“好答案”的反馈牌。在讨论和问答环节中，当一个学生回答出一个非常好的答案时，让这个学生把牌子举起来使每个人都能看到。反馈牌上还可以写“做得很好”、“再试一次”、

“出类拔萃”等评价语。

7. 海绵手

当学生想要提问或回答问题的时候，他们可以举起海绵手，或者末端插有卡片的木棍儿，而不是举手。

8. 喇叭、铃和卡祖笛

这些道具对于提醒学生完成任务，提示他们任务即将结束或者开始是有帮助的。在小测验和问答环节中使用它们也很有趣。正确答案用悦耳的铃声，错误答案用鸭子叫声，时间结束用刺耳的汽车喇叭声。我有一个同事，他在iPhone上下载了一个声效应用程序，上课的时候将手机和扬声器连接起来。这个程序中有任何你能想到的可供使用、搞笑的声音。

9. 奖励和奖杯

一般来说，班级奖励几乎总是证书的形式，为什么不换一种方式呢？其实奖杯更为合适得多。即使只是一个容易损坏的塑料“奥斯卡”奖杯，而且学生不一定要把它带回家，重要的是奖杯背后的认可意义和仪式感。可以在课程结束的时候，或者每个月、每个学期举行一次简洁的颁奖仪式，以此来表扬学生们的进步。

- 今天的“独立完成学习”奖获得者是……
- 今天的“提前完成任务”奖获得者是……
- 今天“进步最大的学生”是……
- 今天因打扫教室获得“卫生标兵”奖的是……
- 今天因帮助同学保持学习积极性获得“动力先生”奖的是……

10. 队帽、队徽和队旗

队帽、标志、徽章还有旗帜这些可以帮助增进团队精神。

11. 场记板

用于角色扮演，来吸引大家注意精彩的表演或者中断活动，然后老师给出一些反馈和评价。

12. 老师的学士帽和学士服

在学生进行同伴教学的时候帮助塑造角色。

13. 和教学主题相关的道具

我上课的时候有幸用过的最好的道具，毫无疑问是泰坦尼克号上的一件真正的遗物。这是一只破碎的怀表，曾经属于一个小男孩，在不幸被淹死之前他曾当过电梯服务员。我的学生就这个项目研究了几个星期，并被整个泰坦尼克号的故事深深吸引。之前他们能接触到的仅仅是相关的图片、视频和参考书，如今近距离地看到这段活生生的历史，对他们来说简直是太神奇了。他们之前发现，这艘船被记录的最后一次扎向海底的准确时间是凌晨2点20分，这个时间点是他们整理的时间线的最后记录。当他们真的看到这只表在凌晨2点20分停止时，可以理解他们完全被迷住了。这是一个证明教学道具作用有多么强大的强有力实例。

很显然在这个例子中我是很幸运的，我的一个朋友认识拥有这块怀表的女士（她还有其他几个这样的手工艺品）。她从来都是在家向别人展示它们，但她很高兴能通过在学校展示它们来提升孩子们的教育。正如我所说的，我很幸运，但是我们都有很多亲朋好友，有可能其中一位就知道你下一堂课所需教学道具的主人。

使用与教学主题相关的道具可以让一个教学主题生动起来。在课程介绍时使用它们，效果出奇地好。例如，将泰坦尼克号的怀表在活动中用作道具，这个活动的名称为“袋子里有什么？”

当学生们进入教室的时候，一个袋子（当局在一次事故发生后，用来存放乘客物品的其中一个袋子，供事件过后乘客取回）在教室中央的一张桌子上放着。他们立刻被它吸引住了，急切地想知道它到底是什么。乔博跑上去左瞧右看，这样一来我们成功地吸引了大家的注意力。

14. 骰子

下面列出课堂上骰子的一些用途。

（1）用来选择教学活动

比如骰子上写上六个活动：填空练习、思维导图、新闻报道、海报、教科书、实践活动等等。

（2）开展合作任务时用来选择随机的同组成员

（3）用来给问答环节增添幽默

骰子上写上6种回答风格，比如“老人”、“摇滚明星”、“农民”、“新闻播报员”、“疯狂科学家”、“销售员”。学生回答问题时必须用他们掷骰子掷到的角色风格来回答（或者学生模仿6种电视节目或音乐风格回答问题）。

（4）为乏味的日常教学增添新意和幽默

打破常规习惯，给约定俗成的课堂活动增加新意。比如向全班问道：“我今天上课应该采用什么风格呢？”给出6种选择，比如“开心地”、“生气地”、“在教室后面讲课”、“用地方口音讲课”、“不动嘴唇讲课”等等。

方法6　20个益智游戏

在课堂上经常组织益智游戏，不仅有益于学生，更有助于课堂环境的管理。

1. 减少学生的行为问题。我认为这是因为在游戏时学生从不会感到无聊，他们总是有事情做。无论什么时候学生想要把注意力放在自己的事情上，游戏总是能够把他们的注意力吸引回来。

2. 增强班级的集体意识。特别是在玩实物拼图（金属和木制的拼图）时，学生们会有主人翁意识，他们觉得这是需要全班来解决的难题。学生喜欢各种各样他们可以努力解决的难题，他们还喜欢看谁能完成最难的拼图。

最棒的是，这种拼图游戏适合所有人玩，所以孩子不会因为学习不好而玩不好这个游戏。当一个非常难的拼图出现时，大家会自然而然地发展友谊，因为每个人都想互相帮助去拼好拼图。

3. 提升学生解决问题、学习和社交的能力。益智游戏有让人上瘾的特点，它能自然而然地吸引学生，发展学生的专注力。当他们有可能因为学习任务太难太乏味而养成放弃的习惯时，解决难题带来的成就感可以让其体会到坚持不懈的好处。

怎样在课堂上组织益智游戏

这些游戏（特别是实物拼图）颇受学生欢迎，所以它们是学生学习非常有效的推动力。像下面这些谜语和智力题，都可作为小游戏、小任务、课堂开始前引入环节的游戏或者是进行合作学习任务之前的热身活动。

实物拼图也可以用于每周固定的“问题解决”环节，或者组织一个“拼图周”来有效地加强学生之间的关系。在拼图周，大家都需要参加拼图游戏，那些赢得成功的学生会被记录下来，形成一个拼图联盟。最好的办法是同样的拼图买两份，将完好的那份拼图（或图片）始终展示在一旁，这样学生就知道拼好的图片应该是什么样子。

20个可以快速完成的谜语、智力游戏和逻辑游戏

1. 你是一名骑自行车的越野赛选手。就在穿越终点线之前，你追上了第二名！那么请问你排第几名？

答：第二名。你超过了排名第二的人，所以你变成第二名，他变成第三名。

2. 一年有12个月，其中7个月有31天，那么请问有多少个月有28天？

答：12个月。

3. 一架飞机在美国和加拿大边境坠毁。他们在哪里安葬幸存者？

答：幸存者不会被安葬。

4. 我没有超能力，但是在任何足球比赛前我能预言分数，请问我是如何做到的？

答：任何足球比赛前的分数都是0：0。

5. 你在河岸边。你得把狐狸、母鸡和玉米带到河的另一边。如果单独留下，狐狸会吃掉母鸡，母鸡也会吃掉玉米。这艘船只够把你和另外三者中的一个带到另一边去。请问你怎样才能完好无损地把三者都带过河？

答：先把母鸡带过去。留下母鸡，回去把狐狸带过河，然后把狐狸留在那里，把母鸡带回去取玉米。留下母鸡，把玉米带到另一边去。把玉米和狐狸一起留下，然后回去把母鸡带到另一边。这样三者都是完好无损的。（河岸两边都要考虑到。）

6. 在头脑中将下列数字相加

从1000开始

加40

加1000

加30

加1000

加20

加1000

加10

请写下你的答案

答：可能有人会算出5000，但正确答案是4100。

7. 下面序列中接下来的3个字母是什么？

J，F，M，A，M，J，J，A，____，____，____。

答：S，O，N。这个序列是英文每个月份的首字母。在序列中接下来的月份是September，October和November 。

8. 吉米的妈妈有四个孩子，第一个叫星期一，第二个叫星期二，第三个叫星期三。请问第四个孩子叫什么名字？

答：吉米。

9. 你正在开一辆公交车。第一站两个女人上车，第二站三个男人上车一个女人下车，第三站三个孩子和他们的妈妈上车、一个男人下车。公交车是灰色的，外面正在下雨，请问公交车司机头发是什么颜色？

答：因为你是公交车司机，所以就是你头发的颜色。

10. 在珠穆朗玛峰被发现之前，世界上最高的山是哪座山？

答：珠穆朗玛峰。

11. 我离开露营地，朝南走了3英里。向东走了3英里。然后向北走了3英里，我在帐篷里看到一只熊在吃我的食物！请问熊是什么颜色的？

答：白色的。你向南3英里，然后向东走3英里，然后向北走3英里，最后到达的只能是北极。北极只有北极熊，它们是白色的！

12. 先有鸡还是先有蛋？

答：先有蛋，因为恐龙在变成鸡之前就生了蛋。

13. 有一个人住在一幢公寓楼的十五层。每天早晨，他乘电梯到大厅然后离开大楼。晚上他乘坐电梯时，如果电梯里有其他人的话，他会直接乘电梯到自己的楼层，否则他会先乘至第十层然后走五层楼梯到他的公寓。请问为什么？

答：这个人是一个矮子，他按不到更高楼层的按钮，但是他可以请别人帮他按。

14. 犯罪现场的房间有一扇门。门是从里面锁上的，而且里面被钉死了。警察破门而入。在房间的中央有一个死人吊在天花板上，他的脚离地面3英尺。房间里其他的东西只有一个放在水坑里的锤子和一个电风扇加热器。你能解释一下发生了什么吗?

答：一个善于思考的人决定自杀。他得到一块冰，把它放在屋子正中。门关上后，他打开了风扇加热器，站在冰块上，把绞索套在自己脖子上，然后等着冰融化。所以几个小时后，警察发现他吊在天花板上，房间里只剩下一滩水、加热器和一把锤子。

15. 你的抽屉里有24只白袜子和30只黑袜子。房间的灯都关了，所以你看不到袜子的颜色。要确保至少有一双成对的袜子，你需要多少袜子?

答：三只。在最坏的情况下，你取出的前两只袜子是一只黑袜子和一只白袜子。你取出来的第三只袜子肯定是和前两只中的另一只成对的。

16. 你在一个饼干工厂，需要做大量的巧克力曲奇饼干。这个食谱需要4杯糖。问题是你有两个桶。一个可以装5杯，另一个装3杯。请问，你能用这些桶精确地测量4杯糖吗？怎么装?

答：先装满5杯桶。把它倒进3杯桶里。这就剩下了2杯放在5杯桶里。把3杯桶里的糖倒出来。现在把5杯桶里的两杯糖倒入3杯桶。5杯桶再装满。再把5杯桶的糖倒满3杯桶，这将会在5杯桶里留下4杯糖！

17. 一个阿拉伯酋长已经老了，必须把他的财产留给他的两个儿子之一。他提出了一个比赛。他的两个儿子将在一场比赛中骑着他们的骆驼，哪只骆驼最后穿过终点线，它的主人将赢得这笔财富。在比赛中，两兄弟漫无目的地徘徊了好几天，都不愿越过终点线。在绝望中，他们向智者请教。智者跟他们说了一些话，然后，兄弟俩跳上骆驼，冲向终点。请问智者说了什么？

答：“交换骆驼”。

18. 什么东西能跑不能走，有嘴不能说，有头不能哭，有床不能睡？

答：河流。

19. 什么东西干了之后会变得更湿？

答：毛巾。

20. 什么东西都是洞但还是可以装水？

答：海绵。

方法7　角色扮演融入课堂，避免过多的重复

约翰是我教过的最难应付的14岁学生之一。他不听讲、不坐在他的座位上，还辱骂其他学生、在课堂上捣乱。约翰对所有摆在他面前的学习任务态度都很消极。最后他因为不能应付大部分的课

程而被逐出了主流学校。

有一天，我发现他有表演的热情。这个暴力好斗的男孩对正常的学校生活完全不感兴趣，但当他的天赋被发掘出来，他就突然变成了全新的一个人。他非常喜欢在角色扮演时站在所有人面前表演。只要我每周给他一次表演机会，他就变成了一个完全不同的男孩，就好像他需要“修理”一样。所以，如果你正在因不爱学习的学生遭受困扰，也许他们中的一些人也能从角色扮演活动中受益。

对年纪小的孩子来说，角色扮演是儿童教育的重要组成部分。它让学生有机会在各种各样的生活场景中练习，同时在解决问题、语言和沟通、计算、推理、倾听等方面积累经验，练习技巧。

对年纪大的学生来说角色扮演也非常有用，角色扮演可以帮助他们发展社会技能，处理许多潜在困境或敏感的社会发展问题，如来自同辈的压力、药物、欺凌、种族、性、人际关系等等。角色扮演让他们在无风险的模拟环境中自我探索，并尝试应对问题。

角色扮演活动对许多学生来说是有趣的，并且令人兴奋，它可以给课程带来活泼的元素。枯燥的教学内容可以被赋予生命，学生可以从中获得难以忘怀的经历。

学习可以发生在任何一个戏剧作品的必要元素中，从最简单的两分钟梗概表演到一部需要服装和道具的完整迷你剧。与制作相关的任何神奇的时刻，从写剧本到准备道具再到导演和表演，对于学生来说都是非常难忘的，并且戏剧是一种非常有效的学习方式。通过戏剧，枯燥的课本内容也可以转化为一种实用的、令人愉快的活动。

让全班同学同时在各自的小组中进行同样的角色扮演，比如探讨一种社会问题、扮演欺凌场景，这是保证所有学生都参与活动并获得相关的经验和技能的好方法。虽然让学生观看其他小组的表演确实是有帮助的，但期望他们一次次地看同样的表演，难免有些不公平。所以最好是在主题上有一些细微的变化，并让每个小组稍微改动一下情节。

方法8　替换演员

要调动所有的学生，甚至那些没有参与某一特定表演的人。可以偶尔停止表演，给观众一个机会替换演员，这样可以为表演提供另一种可能的剧情发展。当大家对一个情节有不同观点时，这种做法是非常有用的。“回放”剧本，让有不同见解的新演员“重演”，是让学生充分探索一个问题或话题的不错方式（就像和基努·里维斯一起合作的导演们总是希望他们能做到这一点）。

让观众参与的另一种方式是，让他们在整个表演过程中都有要特别注意的地方。可以给一些学生提供一些问题，他们通过观看表演可以找到问题的答案，这对提高学生的参与度是有帮助的。还有一些人，他们可能只需指出表演中的一些线索，比如“记下西蒙给他的朋友提供支持的所有方式”。

方法9　个性角色表演

向学生提供你已经准备好的、每个人的角色信息，包括角色做事的目的和背景信息。你需要清楚地告诉学生，每个角色是如何达到他的目的的，以及他们为什么这么做，让学生明白他们被要求表演什么。要把你对他们的期望概括为你对表演任务的期望，并强调你期望他们在这一课中应学到的东西。

方法10　享受表演活动

有些学生可能会想要退出这个活动，因为角色扮演有时会让人心生畏惧。考虑到这个原因，老师要鼓励友好的活动氛围。

如果给学生施加压力说“每个人都必须参与表演”，这会让他们中的一些人马上退出表演。相反，老师可以鼓励每个人参与其中，告诉那些对自己的表演不自信的人，他们可以表演不说话的部分，等他们什么时候想说了再说。许多学生发现，一旦他们克服了最初的恐惧，他们真的很享受角色扮演，许多人会在下次活动时积极地要求戏份更重的角色。我的一个学生曾断然拒绝参加圣诞节的演出，但最终他有三场戏。一旦克服了最初的恐惧，他发现自己喜欢站在观众面前，没什么能阻止他对表演的热衷！

方法11　总结并讨论

就像任何探究练习一样，角色扮演活动也需要进行总结，让学生们定义并巩固他们所学到的东西。可以让学生写一篇反思性的文章，也可以写在写作任务的最后总结部分里，还可以在讨论课上进行。教师可以利用这个机会问问学生，他们是否在角色扮演开始前，就已经学会了那些课程内容。

方法12　评价学生的成果

一般来说，老师会给角色扮演的书面部分进行评分，不过其实表演部分甚至是互动练习部分也是可以被评分的。对角色扮演进行评分的特别注意事项包括：

- 扮演的角色方面，要能完成所扮演角色的目的，并能做出反映角色想法的陈述。
- 评分要有建设性、有礼貌，要有同情心，要能理解他人的观点。

第三章

深化课堂学习的体验式戏剧活动

戏剧活动1　表演学习内容

当老师通过讲授、视频或讲义来解释概念的时候，可以运用这种方法。用这种方法的话，学生是通过发现来学习，通过“体验”来学习。实际上，任何概念或主题都可以用这种带有创造性思维的方式来教授。

例：

在对粒子理论进行五分钟的介绍时，可以将学生分组，并让他们表演粒子在固态、液态和气态三种状态下的运动。通过这种方式让学生学习粒子理论。在固体状态下，学生们会紧密地站在一起，轻微摇晃或振动。作为液体，每个学生之间的距离会增加，他们会移动到指定的区域。他们可以抓住对方，以表示偶尔粒子会结合，同时振动和移动变得更快。作为气体，学生们可以自由地在房间里走动，填满整个空间，偶尔还会互相碰撞。

戏剧活动2 把教学内容唱出来

由马修·派瑞（主演过《老友记》）主演的《罗恩·克拉克的故事》是一部励志电影，每个老师都应该观看一下这部电影，一些伟大的想法和情感要义始终贯穿于这部电影之中。

还有一个你可能使用过的方法是，让学生们以他们的方式把课堂内容唱和跳出来，从而使知识令人难忘和快乐。影片所用的方式是，克拉克老师让所有学生扮演美国总统并说唱出课堂内容，这是影片中很搞笑的一幕。而当学生在讲台上进行说唱时，这一活动的目的也变得很明显：尽管他们之前已经学过这些课程内容，并且很厌恶这些内容，但他们绝对非常喜欢这项活动，显然这让他们成功地学到了知识。

我很惊讶有那么多的年轻人喜欢唱歌，尤其是那些不喜欢学习的学生。在课堂上他们可以用以学习主题为基础的歌词，创作他们最喜欢的歌曲。也可以去找现成的歌词和歌曲，在谷歌中输入“××（主题）歌曲”，用来辅助学习大量课程主题。例如在谷歌中输入“摇滚歌曲”。

戏剧活动3　迷你短剧

我们没有足够的时间来制作需要道具和布景的完整戏剧，但是我们每节课都可以有进行迷你剧的机会。这是一种强大的教学辅助手段，也是一种自然生动的学习方法，比老师讲课或者视频的效果更好、更令人难忘。

例：

让学生扮演他们正在学习的书中角色，让班上的其他学生就书中角色的背景、想法、行为和意图进行提问。将学生进行分组，让每个组表演一个短剧来描述课程内容里的一个事件（最长5分钟），每个小组的所有学生都要参与到研究和编写剧本，以及排练和表演中去。

戏剧活动4　完整长剧

进行一次完整的戏剧活动所需的资源、时间和精力注定了这是一个只能偶尔进行一次的活动。即使如此，我们也要考虑进行完整长剧的活动，因为这是一个很有用的学习机会。

很多课程要采用的戏剧，实际上都可以去购买已经写好的模板，但是多数情况下还是自己编写的剧本更好。因为一个自己编写的戏剧可以成为你最好的教学资源之一，这是你可以一年又一年反复使用、吸引学生并让他们感受到学习乐趣的东西。

- 提前规划好你的戏剧，每个人都应该有足够的戏份，保证每个人表演一定的时间。
- 对学习主题和课程单元开头的部分进行试演。
- 让学生帮忙制作道具。
- 在课程学习开始时进行排练，这样在你完成一个单元之前，戏剧就能排练好。
- 考虑添加一些歌曲，让你的戏剧成为一种音乐剧，因为孩子们都喜欢唱歌。
- 把这出戏剧作为你这个单元的最后部分。

戏剧活动5　评估手段

表演是一种很有效的评估手段，也是代替平常使用的普通小测验的一种好方法。当学生学习了重点知识，让他们记住这些知识的最好方法之一就是让他们积极地应用知识。下面的例子是一个更具创造性的方法，让学生在角色扮演活动中运用所学到的知识，不失为一种很好的评估方法。

例：

学生学习了人体骨骼各部分的名称。他们必须在全班同学面前扮演外科医生的角色，然后在同伴的身上进行“操作”，识别出骨折部位的骨骼名称。

戏剧活动6　脱口秀

学生被分成四组，每组一名成员作为谈话节目主持人。每个“嘉宾”可以被邀请就某个特定的话题发言。

例：

这是一种很好的方法，可以用来复习一直在学习的书目。每位“嘉宾”扮演书中的一个角色，在受到主持人邀请的时候讲述他们的故事。

戏剧活动7　电视节目

学生喜欢这种活动，而且这种形式适合任何学科领域。我成功使用过的三个节目类型是“儿童电视节目”、“智力竞赛电视节目”和“新闻节目”。

例：

将学生分成四组或五组。进行“新闻”节目时，一两个学生扮演新闻主播，主要解释课程或主题内容的要点，组内另一个成员可以作为流动记者，报道来自与新闻有关人员和专家的“即时新闻”、“实地新闻”。

戏剧活动8　拍摄

拍摄内容可以涵盖非常广泛的学习任务，可以加强任何角色扮演或戏剧表演环节的效果。上述一些活动都适合被拍摄下来，学生们也喜欢在结束的时候看到他们的努力成果。

以下是一些从拍摄经验中总结的建议：

- 考虑在不同的地点或者房间拍摄不同的情节，以提供多样性。

- 保持视频短小精悍。鼓励学生把他们的展示变成一幕幕“场景”。
- 在展示结束时，鼓励提问和答辩，同时也要拍摄下来。
- 为了更加有趣，可以让学生在视频最后放入花絮部分。

The Fun

TEACHERS

Toolkit

第四章

密切师生关系的魔术时刻

我第一次开始使用魔术是在和学生学习莎士比亚的时候。我们当时一直在学习《麦克白》(莎士比亚的作品)，他们对女巫的兴趣引发了关于超自然现象的讨论，然后自然而然开始了一堂关于魔术的课，学生们非常喜欢这节课。我决定向他们展示一些我从一位经营公司娱乐业务的朋友那里学到的简单魔术，而他们的反应也很令人惊讶。我不敢相信他们原来对这些简单的魔术有这么大的兴趣，所以从那之后，我至少每周都有一个新魔术展示给他们。随着时间的推移，学生们开始向全班同学展示自己的魔术，一周一次的“魔术时刻”也成为了一种惯例。

我把这个环节分成“心理魔术”和“错觉魔术”。所有年龄段的学生都喜欢第一种形式的魔术。在这种魔术里，一个人能读懂另一个人的心灵，或者预言未来的事情。其实你不需要有特异功能去做这些事情，你需要知道的只是一些鬼鬼祟祟的小把戏。

心理魔术1 其他同学

魔术：

找三个学生志愿者来帮助你，每人分发一张纸条。其中两名学生在纸条上写下班上两个同学的名字，第三个人写学校里其他班或者其他年级同学的名字。

这三张纸条被折叠起来，放在一顶帽子里（这个过程你不要碰纸条）。之后你被蒙住眼睛，或者帽子被高举过头，这样你就看不到它了。然后你把手伸进帽子，并把上面写着另一个班级学生名字的纸条拿出来。

揭秘：

这是一个很简单的魔术。把一张纸撕成三块，上下部分都是一个平滑的边和一个粗糙的边，但是中间部分将有两个粗糙的边。

确保其他班级学生的名字写在中间的纸条上，而另外两个学生在上下两张纸条上写自己班级学生的名字。把这些小纸片折起来放进帽子里。

当你将手伸进帽子时，你所需要做的就是去感受哪张纸条的边缘都是粗糙的。当你找到纸条之后不要马上拿出来，让学生把注意力集中在他们写的名字上。然后把纸条拿出来放在头顶，一直保持悬念以营造出神秘气氛。之后在手上展示出那张纸条，纸条上正好写着其他班级学生的名字。你也可以在学生写名字的时候离开教室，这样所有学生都能知道名字，然后让他们将你眼睛蒙上，接着你开始这个戏剧性的表演。

心理魔术2　著名的名字

魔术：

让学生说出过去或者现在的10个名人的名字。你也可以让学生选择和教学内容相关的关键词，将这个魔术和课程联系起来。

每个名字或关键字都写在一张卡片上，将卡片顺序打乱。然后你在纸板上写下你预测学生会选择的卡片。学生选择一张卡片，然后大声读出他的选择。大家会发现，你在纸板上写下的名字和学生选择的名字是一样的。

揭秘：

你需要10张小卡片、一个用来写名字的纸板和一顶帽子。

准备好所有东西之后，让一个学生说出一个名人的名字或一个与课程主题相关的关键词。把它写在一张卡片上，然后把它丢进帽子里。然后让学生再说一个名字或关键词。这一次不要写学生说的名字或关键词，而是写第一个名字或关键词。现在这两张卡片上都写着相同的名字。当不同的名字或关键词被说出来的时候，你都继续在每张卡片上写下最初的名字/关键词，直到你的帽子里有十张卡片，上面都是相同的单词。然后在你的纸板上写上这个单词，不要让观众看见。

把纸板放在观众视线范围内，但是不能让他们看见上面写的单词。邀请一个学生来帮助你。摇一摇帽子，把卡片顺序打乱。让学生把手伸进帽子里，选择其中一张卡片，然后大声读出上面写的字。之后把纸板展示给大家看，学生选的名字或者关键词和你在纸板上所预测的是一样的。一定要在魔术结束后把卡片销毁，这样把戏就不会被发现了。

心理魔术3　预知电话簿

魔术：

把一个密封的信封交给一个学生保管，并拿出一本普通的电话簿（你也可以使用课本，这样可以与课程联系起来）。要求学生说出一个三位数的数字，你可以把它写下来。另一个学生被要求用数字做一些计算，并说出计算结果。然后要求他查看电话簿或课本上这个计算结果的页数，读出这一页里的某一个单词，这个单词和密封信封里的单词是一样的。

揭秘：

在你开始魔术之前，翻到电话簿或者课本的第108页，数到电话簿的第9个名字，或者课本第一个句子的第9个单词。把这个名字或者单词写在一张纸条上，然后把它装在信封里。

把密封的信封交给一个学生，让他拿着。请一个学生说出一个三位数，或者叫三个不同的学生每人说出一个个位数。把三位数写在黑板上。

让一个学生来做一些计算。例如，假设这个数字是653，让他把数字倒过来（356），再用上面的数字减去下面的数字：

653 − 356 = 297

现在请他把结果（297）反过来（792），把这两个数字相加：

297 + 792 = 1089

不管用什么数字，答案永远是1089。如果减法运算只剩两位数字，那么一定要在左边添加一个0，比如079。

然后让这个学生看前三个数字（108）显示的页码，最后一个数字（9）显示的名字或者单词。

请他大声读出这个名字或者单词，然后让学生打开密封的信封，他们会发现你的预测是对的。

你也可以用它来做心灵感应，而不是预测。不要预先写下预测，而是让查看电话簿或者课本的学生集中精神在那个名字或者单词上，然后你戏剧性地告诉他，他正在看的名字或者单词，当然其实你在魔术开始之前就记住了这个名字或者单词。

心理魔术4　句子预测

魔术：

提前准备一本书，可以是小说、教科书或者任何一本书，让学生在书中任意一个地方插入一张卡片，然后打开插了卡片的那一页，你预先写好或者大声说出这一页的内容。

揭秘：

准备一本带封面的书，选择书中间部分的一页，在一张纸条上写下第一个句子或者记住这个句子，然后再在这一页放一张卡片。

当你把书拿给学生的时候，书中的这张卡片要藏好，然后给学生另外一张卡片，让他把卡片塞进书中任意位置。如果你打算采用把句子写在纸条上的预测方式，请将这张纸条交给一个学生保管，然后你将书翻到你提前放的那张卡片的位置，而不是学生放卡片的位置。

如果你不想把句子写在纸条上，那么请将书交给一个学生，让他来翻开放了卡片的那页。把你的手放在学生放的那张卡片突出来的那段，当你把书递给学生时，把这张卡片从书中抽出来，当然不要让他看到你这样做。当学生拿着书的时候，请他把注意力集中在插有卡片那页的第一行上。然后你告诉他这句话的内容，或者让他把这句话和你之前写在纸条上的内容大声读出来。要注意的是，你不要只是平铺直叙地告诉他，你知道那一页第一句写了什么，而是要集中精神、慢慢地、神秘地读这句话。

心理魔术5　神奇的画面

魔术：

这个魔术适合任何学习领域，而且一定可以成为学生的关注焦点。

准备一个没有图片的小画框，里面只有黑色的背景布，并且用一块手帕盖住画框。然后准备一打小卡片，每张卡片上都有一个和课程主题相关的物体或者名人的名字。将卡片放在一个小袋子里，摇一摇之后让一个学生从袋子里选择一张卡片，然后读出他选择的名字。然后你拿掉盖住画框的手帕，画框里将会有一张图片，而且内容和学生选择的卡片一致。

揭秘：

你需要做一个小布袋，大约39或45平方厘米。用一块布作隔板把袋子分成两个部分。这些原材料可以从魔术店买到，布袋的制作过程也非常简单。

然后你还需要准备一个画框，里面有一块粘在上面的黑色布，这样画框在空的时候会有黑色的背景。剪一块和背景材质一样的黑色布，和画框的内边一样宽，但长度要多8厘米。

准备一张和课程主题相关的名人或者物体的图片，确定这张图片尺寸和画框适宜。准备24张卡片，其中13张卡片上印上这个名人或者物体的名字，剩下的11张卡片上印上11个不同名人或者物体的名字。

在开始魔术之前，把11张不同的名字卡片再加上13张卡片中的一张放在袋子的一边。把12张一样的卡片放在袋子的另一边。

按顺序在画框中放置准备好的道具，从画框前面开始。首先是玻璃，然后是黑色的布，然后是图片，最后是背景。黑布从画框的顶部伸出，然后垂下来。

开始时把不同名字的卡片从袋子一边拿出来。

让所有的学生都看到这些不同的卡片，并向他们展示画框是空的，只有黑色的背景。

把画框放在桌子上，用另一块黑色大手帕或一块布盖住。

让学生把卡片扔进袋子里（把空的那侧打开，确保他们扔的是这一侧）。

摇一摇袋子，把卡片混在一起，然后把袋子打开，让学生把手伸进去，拿走一张卡片（这时要确保你打开的是放着相同名字卡片的那一侧）。

请这名学生把所选卡片上的名字大声念给其他学生听。

将手帕或者布从画框上拉下来，当你这样做的时候，要把那小块黑布也拉下来并确保把它藏在手帕里。然后你可以举起画框展示图片。你甚至可以把画框拆开来，证明它就是普通的画框。

心理魔术6　预测蔬菜名

这个魔术可以作为上课之前的小热身。

魔术：

先跟同学们说你要给他们做一个小测试，而且因为你是一个很厉害的老师，所以你能控制他们的思维，来确保他们给你的是正确答案。

给他们一些题目，其中前9个题目很简单，当他们开始答第10题时，告诉他们你已经把答案写好放在口袋里了，因为你要让他们都答对所有题目。

揭秘：

在魔术开始之前，在卡片的一边写上“胡萝卜”，另一边写上“花椰菜”，然后把这张卡片放在你的口袋里。

一开始可以出一些和课程相关的简单题目，比如数学课可以出4×2或者10+5这类的题目。当然，我知道这些题太简单了，你可以出难度稍大一些，但这个水平的学生可以很容易答对的题目。

快速大声喊出前面的9个题目，让学生只有刚好写下答案的时间，然后大声喊出“写下第一时间浮现在你脑海中的蔬菜名”。

如果你看到有人在花时间“思考”这个问题，你要赶紧催促他们写答案，不能让他们有时间去想答案。

当每个人都写完答案之后，告诉他们你要检查答案了。

在你说出第10个题目的答案之前，告诉他们你会用自己控制思维的能力“强迫”他们写下你想要的蔬菜名。

然后你可以拿出你口袋里的那张卡片，让写了胡萝卜的学生举起手来。

给他们看一看你写了胡萝卜的卡片，然后告诉他们，如果他们从现在开始专心听讲，你就能保证他们取得好成绩。

（写“胡萝卜”是因为最常见的回答是“胡萝卜”，一般来说80%～90%的学生都会写下这个蔬菜。第二个最常见的答案通常是“花椰菜”。）

心理魔术7 “你会照我说的去做！”

这个魔术是一个很棒的魔术，它会让你的学生认为你的命令是不可违背的，他们除了按你的指示去做别无选择。

魔术：

从你的口袋或者抽屉里随机拿出一些物品，比如剪刀、钥匙、哨子、电容器、手表、螺丝钉等等。选择三件物品（假设是手表、钥匙、哨子）并把它们放在桌子上。

你对一个学生（比如丹尼尔）说：“丹尼尔，你现在从这三件物品中选择一件物品，我会通过潜意识，让你选择我想让你选的那件物品。关键是，我再说一遍，关键是你要把注意力放在一件物品上，然后选看起来正确的那件。”（在英语中钥匙和关键都是“key”，所以这里很明显你在通过强调“key”来提示丹尼尔拿钥匙。）

丹尼尔笑了笑说：“老师，我可不认为你能控制我的行为。”然后他选择了手表。

你看起来很惊讶，但是你说：“嗯，丹尼尔，这很有意思，显然你以为你可以完全无视我的指示，但是你低估了我对你的影响力。”

你指着桌子上的一张白纸，然后让丹尼尔，把它翻过来。白纸上写着：“你会选择手表！”

揭秘：

在这个小魔术中，不管学生选哪件物品，你都能说他是按你的指示选择的。如果他选择了钥匙，你就让他看钥匙圈上的饰物，上面写着：“哈哈，我就知道你会选钥匙！不要低估我哦。”

把钥匙圈的饰物面朝下放在桌上，这样他在拿起钥匙之前不会发现这个小把戏。

同样地，如果他选择了哨子，你就让他仔细看哨子上的带子，上面写的很清楚：“哈哈！我就知道你会选哨子！不要低估我哦。”只有当他选了哨子，他才会注意到上面的字。

如果你的抽屉里碰巧有一个录音机，你可以选择在录音机里先录好音："哈哈！我就知道你会选录音机……"

（注：这个魔术很多地方可以变通。）

心理魔术8　"我知道你最喜欢什么"

这个魔术也很棒，你可以向同学们展示你非常厉害的一项能力，通过笔迹学（即分析笔迹）来解读学生的思想。

魔术：

准备一个线圈本，然后告诉他们，通过研究他们的笔迹，你能说出他们最喜欢的（选一个合适的话题）是什么。这个喜欢的话题可以是他们在学校最喜欢的科目、最喜欢的运动、最喜欢的假期、最好的朋友等等。

让他们想想，他们最喜欢的东西是什么或最好的朋友是谁。你可以跟他们说："我想让你们在纸上写下你们喜欢的东西或者人的名字，字号要写得很大。"然后你可以在纸上写一个"大"字来示范要写多大。示范完之后将这一页撕掉。

将本子递给学生，你转过身看别的地方，然后让学生开始写名字。让学生先写一个最喜欢的名字，然后接下来在四张纸上写上四个他们没那么喜欢的名字。写完之后把五页纸撕下来，在你背对着他们的时候，学生可以随便调换五张纸的顺序。

这些都完成之后你转过身来，研究每一页纸上的字迹，然后将纸一页页地排除掉，直到剩下写有他们最喜欢的事物或者人名的那张纸。

跟学生们说："你们想一下，我能通过笔迹看透你们的心思，所以每一次检查你们的作业时，我有多了解你们！"

揭秘：

这个魔术背后的方法很简单，几乎不会被揭穿。在纸上写"大"字之前，先将线圈本转至横向放置，故意看看笔尖，然后在第一页纸的左上角画一个小涂鸦，来假装试一试这支笔能不能用，画的时候请用力。然后写一个能占满整页纸的"大"字，示范完之后撕掉这一页纸，之后把本子交给学生去写名字。

当你去分析这五张纸的笔迹时，写有最喜欢的事物或者人名的那张纸上，有最明显的涂鸦的印迹。所以，这个魔术是不是很容易呢。

错觉魔术1　说谎者

准备好一副纸牌，并注意这副牌底部是哪张牌。将这副牌呈扇形展开，让学生从中选一张牌，然后把这张牌给除你之外的全班同学看。

学生看完那张牌之后，把这副牌合上并且正面朝下放在桌子上。让刚才那个学生把牌分成相等的两部分，然后让他把他选出的那张牌放在你指定的那部分牌上。接着把另一部分的牌，放在放了那张牌的牌堆上，这样一来，一开始你记住的那张最底下的牌就在学生选择的那张牌之上了。完成之后让学生在你翻牌的时候一直说“不是”，即使你翻开的就是他选择的那张牌。

告诉学生当他说谎的时候，纸牌会告诉你他说谎了。因为你之前记住的那张牌，在学生选择的那张牌上面，所以你知道学生选的牌什么时候被翻开。当你翻开学生选的那张牌但是学生说“不是”的时候，你就喊“说谎”。

错觉魔术2　纸牌十

这个魔术需要有人来协助完成，所以这是一个建立友好关系的好机会。你可以在课前私底下找你最难教的学生们聊天，问问他们是否愿意帮你完成一个魔术并且保守秘密。大部分的小孩都喜欢参与这类事情，所以这是你和他们处好关系的好机会。

从一副牌中选出10张牌来，其中一张是点数为10的牌。把这10张牌垂直摆放在桌子上，排列方式和10号牌的点数排列位置一样（呈H型）。

让一个学生在你看不见的时候选出一张牌，然后你可以告诉同学们，你的助手将帮你算出那个学生选的是哪张牌。

然后让你的助手去触摸每一张牌，每次都要说："是这张吗？"在你的助手把每一张牌都触摸一遍之后，你去指出之前学生选择的那张牌。

其实在你的助手触摸纸牌时，他触摸的第10张纸牌的实际位置，就是志愿者选择的那张牌的位置。这是一个可以重复的技巧，而且没有人能猜出你是怎么做到的！

错觉魔术3　说谎者的扑克牌

准备好一副纸牌，记住最上面那张牌。从这副纸牌中随机选出六张牌，一张最上面的牌和其他任意五张牌。

将六张牌分成两等份，一份三张，正面朝下放置，把有你记住的那张牌的那部分，放在右手上面的位置（或者你随便放在哪里，但是要记住位置）。然后告诉同学们魔术开始了，让一个同学过来选一份牌，如果他选了上面那份，你就把底下三张牌拿走；如果他选的下面那份，你就把他选的这份拿走，要保证你记住的那张牌还在。

现在让学生从剩下的三张牌中选出两张来，你要确保被拿掉的两张牌不是你记住的那张牌，之后你就可以宣布说剩下的牌是“黑桃A”或者是其他牌。翻开这张牌，大家会发现你说的是对的。

错觉魔术4　消失的纸币

把三张面值一样的纸币拿在手里展示给学生看，告诉他们，你可以让其中一张纸币神奇地消失。

在魔术开始之前准备好一张纸币，在三分之二处折叠一下。准备好第二张纸币，把它放在折叠处，藏好折痕，这样看起来你手上就好像有三张纸币了。把看起来像三张纸币的两张纸币拿到学生面前，然后你说要让钱消失。接着你用拇指和食指捏住纸币的顶端，然后摇一摇这两张纸币，这样折起来的纸币就会展开，三张纸币的假象消失，最后会变成两张纸币。

错觉魔术5 消失的硬币

把你的左肘放在桌子上，用手抓住你的脖子后面。用右手在手臂上来回摩擦一枚硬币。把这枚硬币掩盖好，不要让学生看见。继续来回摩擦，然后装作不小心掉落。

之后用左手捡起硬币，假装把它放在右手里。重新开始之前的姿势，用左手把硬币放在脖子后面，这样硬币会粘在脖子上，或者掉进衬衫里。然后你向同学们展示你的双手，他们会发现硬币神奇地消失了，你站起来的时候要小心一点，不要让硬币掉出来。

错觉魔术6　骰子游戏

这个魔术需要三个骰子，一个装满水的玻璃杯和一个学生志愿者。

让学生把骰子扔进玻璃杯，然后让他举起杯子查看骰子底部的数字，之后把三个骰子底部的数字相加起来。然后让他把玻璃杯放回到桌子上。你走到桌前将手伸进玻璃杯，拿出骰子并且在额头上揉搓，好像你在用大脑读取骰子的数字一样。然后你可以面对学生说出三个骰子的相加总数。

你能得出骰子的点数总数，是因为你能看到骰子顶部的点数，把这三个数字相加，然后用21减去这个数字，得出的答案就是骰子底部点数的总和。

请记住，骰子的相对面点数相加总是等于7，三个骰子就是21。假设底部点数是2、3和5，总和是10。那么顶部的点数就是5、4和2，总和是11。11加10刚好等于21。这是一个简单但是效果会很好的魔术。

错觉魔术7　骰子游戏II

让一个学生掷三个骰子，然后在你背过身去的时候，用一个堆在另一个上面的方式把三个骰子堆起来。让他们在你看不见的时候，把骰子被藏起来的五个面都相加起来（这五个面包括底部和中间骰子的两个面，以及最上面骰子的底部那面）。

我们在上一个魔术中已经知道，相对的6个面点数总和是21。假如我们现在转过身之后看到上面骰子顶部那面点数3，那么你就可以快速地告诉学生，刚刚五个面的点数相加总和是18，当然你肯定答对了。

错觉魔术8　时钟和骰子的游戏

这个魔术需要一个骰子、一只手表或时钟。让学生从时钟上选择一个数字，但是不要说出来。然后让他们在时钟上找到与之相对的数字，比如3相对的数字是9，然后用较大的数减去较小的数字。

之后用1加上这个数字，再记住最后的答案。

你掷一下骰子，然后跟同学们说，出现在骰子正面的点数和反面的点数之和，就等于之前他们记住的那个数字。我们已经在之前的魔术中知道，骰子相对两面点数之和总是等于7，其实时钟钟面相对的两个数字相减之后加1得出的结果也永远是7。

错觉魔术9　误导

这个魔术很简单，你只要事先做好准备就行了。你需要两个信封和两张纸。首先把两个信封背对背地粘在一起，这样你就有两个信封装信纸了。然后在一张纸上写点东西，比如“你们今晚都有额外的作业”，然后把它放在一个信封里。

向学生展示你的空白纸，让他们相互传递，这样大家都能看到这张信纸真的是空白的。这样做是一种误导，你把他们的注意力都转移到信纸上，这样他们就会忽略信封。

把纸拿回来后折叠两次，然后放在另一个信封里。封好信封，念一念“咒语”之后打开信封，拿出另一张写了字的信纸。向周围同学展示信纸，同时把信封藏起来，这样就没有人会想起去检查信封了。

错觉魔术10 撕纸游戏

让学生在一张纸的中心写一个单词，并向除你之外的其他学生展示。让他把纸对折，然后再对折。把折好的纸从他手中拿出来，把它撕成小块，放在桌子上的半空咖啡杯里。

让学生在杯子里搅拌撕碎的纸，当其他学生看着他这样做的时候，你可以向学生们展示你知道纸上写了什么单词。

这是一个非常简单的魔术。如果你自己去玩这个魔术，你会惊奇地发现这个魔术真的很容易，但是效果会很好。

拿一张干净的纸，在中心写上你的名字。尝试折叠一次，从这个角度看，你会发现你的名字在纸的折痕中间。然后再把它折成两部分，你会注意到现在你的名字在折叠纸的左上方。试着撕下那部分，你会发现你手上有写有你名字的纸片。当然如果你在玩魔术，一定要记得不要把那部分纸放在杯子里，否则你就很傻了。

当学生们专注于把所有的碎纸片混合到剩余的咖啡里时，你可以快速地看看你手中纸片上的单词。所以这个魔术很简单但效果会很好。不过为了安全起见，请选一个不是很熟悉长单词的学生。

The Fun
TEACHERS
Toolkit

第五章

快速增加课堂幽默的20种方法

方法1　当题目太难的时候教你的学生做像垂死一样的“Z”字型动作

我不太记得这个方法是来自哪档我喜欢的电视节目了，也许是“Tiswas”（一档英国的儿童节目）。我只记得那个电视演播室里挤满了仰躺着的人，他们的胳膊和腿在空中挥舞着，假装自己是垂死的苍蝇。这是一种很好的减压方法（我在出门去银行之前总是这么做），而且这个方法总能引起笑声。

方法2　使用主题音乐

可以准备一些电视和电影主题曲的CD。当你想让学生现场回答问题时可播放碧昂丝的《Countdown》，希望学生进行另一个活动的时候可以播放班尼·希尔的作品，在课程开始时可以播放《烈火战车》、《洛奇》、《碟中谍》的配乐。用这些作为引子。

方法3　讲一个有趣的故事

必须是一些关于老师的事情，而且最好是老师的糗事、令人尴尬的时刻或者涉及到老师的事故。学生喜欢在课上到一半的时候听有趣的故事，“好吧，放下你们手中的笔，我要给你们讲一个故事……”特别当这个故事和他们冒傻气的老师有关时，学生会特别感兴趣。

方法4　把学生分成两人一组，让他们练习背诵绕口令

给学生几分钟时间练习，然后在全班面前背诵绕口令，说得最快的同学可以得到奖励。

方法5　给学生拍照，然后把照片展示在教室的布告板上

孩子们喜欢在照片中看到自己。即使照片不是很有趣，学生们也会喜欢看到他们的照片展示在教室里。

方法6　给班上爱捣蛋的学生一些鼓励

我们很容易对班上爱调皮捣蛋的学生和他们造成的混乱感到无力，但是如果我们换一个角度看待这些学生，找出他们积极的一面，那么我们其实还能从这些学生的幽默中得到一些好处。老师可以在适当的范围内给予这些学生一些帮助和指导，去鼓励他们的幽默行为，比如专门给他们几分钟时间展示和表演，而不是一味地制止他们。也许这些调皮学生对这个班集体会有比你想象中更好的影响。

方法7　买一对亮红色大拳击手套（或者大的充气锤、警察头盔玩具等等）

每次课堂变得混乱的时候，就把它们拿出来。有些老师认为这是对不良行为的一种奖励，好像在说这种行为是对的；但是有些老师认为这个方法可行。我最喜欢的小学老师曾经用过这个法子，我们都觉得很好玩。他知道如何让我们开怀大笑，但我们都很尊敬他，因为他知道何时以及如何实施纪律手段。他是“严格和公平”的典范。

方法8　买一双大耳朵耳套

每当课堂太吵的时候就把它们拿出来。

方法9　准备面具和换气管

每次上课太臭的时候就把它戴上（在英国盖茨黑德的学校教室里经常有这样的问题）。

方法10　使用音效

当学生们回答问题时使用热烈鼓掌的音效，当他们变得无礼的时候，使用机关枪的音效。现代科技让这个方法变得可行，很多手机都可以连接到扬声器上，在手机上可以下载各种各样的音效。

方法11　把你最喜欢的玩偶带到课堂上

把它作为班级的吉祥物，每次同学们表现得很棒的时候就把它从盒子里拿出来。

方法12　为答题正确的学生提供一些怪诞的礼物

圣诞拉炮玩具、花草茶包等等，越奇怪越好。

方法13　借助一个道具盒

前文有提到过这种方法，借助帽子和服装让学生扮演不同人物，用这些人物的风格回答问题。

方法14　准备一个“每日笑话”的牌子

鼓励学生自己讲笑话，给上课之前在班上讲笑话的同学提供奖励。

方法15　重新整理一下教室让学生找不同

可以移动闹钟、垃圾桶、课桌等等。

方法16　重新整理一下你的衣服或珠宝首饰然后让学生找不同

我的一位老师曾经这样做过，我们很喜欢这个游戏。他会走出房间几秒钟，然后回来，卷起他的一个袖子，换掉他的领带，或者把他的手表换到另一个手腕。这实际上是一个很好的观察训练，因为他经常会指正我们的错误。

方法17 准备一个神奇的盒子

制作一个盒子或者容器，在里面装满发条玩具、纺纱器、球、眼珠可以摆动的毛绒玩具或者其他玩具。

事实上很重要的一点是，这个盒子就像一个可以吸引小孩子的磁铁，它可以帮助你在课外时间快速吸引你的学生。小孩子就喜欢观看和摆弄这些小东西。这样一来二去，学生们开始和你聊天，你们的关系开始慢慢发展和深化。我们都知道良好积极的师生关系是有效教学的核心，这使得课堂管理更加容易。

方法18 放松环节

对学生来说，上学是一件很苦闷的事情。他们必须安静地坐着，听他们通常不太感兴趣的事情，每天要听讲6个小时。他们不可以随心所欲地换位置，也不可以每天睡到自然醒，事实上有些教室的椅子真的很硬。

把灯光调暗或者换成绿色的光让人放轻松、提供靠垫、打开熔岩灯、点一根佛香、吹奏起鲸鱼的声音，让每个人都躺下来休息十分钟。你的学生将会爱上你，而且他们在休息之后也会更加努力地学习。

方法19　主题服装日

可以一个月举办一次，如果你够大胆的话也可以更频繁一点。让学生按特定的主题打扮自己，比如奇怪的袜子日、愚蠢的帽子日、夏威夷衬衫日、红鼻子日等等。

方法20　秘密朋友

你听说过神秘圣诞老人吗？这个方法和他有点像，让学生们把自己的名字放进一个碗里面，每个人都从碗里抽一个名字。这将是他们的秘密朋友，他们的任务是要让这个朋友开心，比如给他讲有趣的笑话、帮助他等等。大家不能暴露自己的身份。还要制定一些规则，比如不可以人身攻击、不可以种族歧视、不可以厕所幽默，也不可以贬低别人。

The Fun

TEACHERS

Toolkit

第六章

改善课堂纪律的趣味活动

当课堂纪律开始变得混乱、学生们不能集中精神上课的时候，老师可以采用一些有趣的活动来改变上课的节奏。为了避免课堂继续混乱无序下去，老师需要迅速改变讲课的语调，收起自己的思绪，想办法集中学生的注意力。这种趣味性的穿插活动还能使课堂充满积极向上的情绪，并且巩固师生之间的关系。

活动1 “我是船长”

简介：这是一种发展听力技能的游戏，可以帮助那些对上课内容失去兴趣或上课太过吵闹的学生。

人数：不限

年龄：任何年龄段

材料：无

时间：5～15分钟

游戏规则：

1. 让大家都安静地坐着，然后你说："我是这艘船的船长，我要装一些胡萝卜上船，你们有什么想装上船的吗？"

（每个发言者带上船的物品名开头第一个字母必须和他的名字开头第一个字母一致，比如Captain船长/Carrots胡萝卜，不要将这个规律告诉学生，要让他们自己去发现。）

2. 请学生依次进行发言，每次由一个学生说出自己想要带上的物品。

比如说，第一个学生可能会说："我叫约翰（John），我想要带一些短裤（Shorts）。"

然后你需要回答："约翰（John）很抱歉，你恐怕不能带一些短裤（Shorts），但是如果你愿意的话，你可以带一些工作服（Jumper）。"

（再一次强调，可以让学生自己注意到第一个字母要一致的规律。）

3. 继续请学生来说出自己要带上船的物品，完成"需携带物品"的清单。

当有人猜出第一个字母一致的规律时，要求他们不要告诉别人，然后游戏继续，让清单上的物品不断增多。一开始大家可能很难适应这个游戏的玩法，但是随着游戏的进行，线索会慢慢显露，大家全都会开始投入到游戏中，并发现成功把物品带上船的秘密。如果游戏开始之前，你很难让学生安静下来，请将开场白写在黑板上，而不是大声说出来。

注意事项或可调整之处：

1. 携带的物品要选择有双辅音的单词，比如：锤子（hammer）、瓶子（bottle）、鹅卵石（pebble）等。

2. 说话时带有特定的话语或者手势，如：

- 每次轮到你说话的时候，你都故作自然地说："好吧（ok），我是这艘船的船长，我……"只有那些发现自己必须在说话前说一句"好吧（ok）"的学生，才能成功带上自己的东西。
- 当你在说话的时候，刮一下鼻子或者耳朵。

学生们必须要格外注意，才能观察到这些细微的差别。

活动2 "请注意"

简介：这个简短的小游戏可以在课程内容过渡时进行，还可以使上课时无精打采的学生振作精神。这个游戏提醒我们，周围的事物很容易被我们忽视，除非我们特意去关注。

游戏人数：不限

年龄：任何年龄段

材料：无

时间：5分钟

游戏规则：

1. 在学生不注意的时候，快速地改变一下你身上三到四样物品，比如，如果你戴了领带的话，拿掉领带，把手表戴在另一只手腕上、把耳环取掉、把头发梳向一边、卷起袖子等等。告诉学生，你对自己的外表做出了一些改变，问问他们，能猜出改变了什么吗?

2. 在他们进行了一番猜测之后，让学生两两配对，其中一人为A，一人为B。

3. 让B组闭上眼睛，一起慢慢从1数到10。

4. B组学生闭上眼睛的时候，A组的同学改变一下自己的外表。

5. 数到10的时候，B睁开眼睛，猜测一下他同伴的变化。

6. 然后轮到B做一些改变，让A来猜。如果有时间的话，可以让学生交换同伴再玩一次。

活动3　技能测试1–遵循书面的题目要求

简介：这个游戏用非评判性、娱乐化的方式，教导我们遵循题目要求的重要性。学生们完成了一个“模拟测试”，但是分数总是为零，因为他们在开始答题之前，没有正确阅读题目要求。

给学生提供一张纸，然后告诉他们，你要做的事情将会证明他们是否有很好聆听和遵循老师指令。让他们知道你将陈述每个规则，然后暂停，然后重复规则。另外，告诉他们你不会第三次重复任何规则，所以他们必须非常仔细地听。之后向学生陈述下面的规则。

游戏人数：分成6～10个小组，每组人数随意

时间：5分钟

材料：每个学生一张“技能测试1”的试卷

游戏规则：

1. 先介绍这个游戏。这是一个特殊的测试，它将会评估学生是否有遵循题目要求。

2. 每个人的桌子要相隔一定距离，保证学生处于考试的环境中，不可相互交谈和抄袭。

3. 将试卷分发下去，告诉学生他们只有15分钟的时间来完成测

试，所以他们必须快速地完成试卷。（事实上他们完成试卷只需要几分钟的时间，但是告诉他们需要更多的时间完成试卷，可以让他们急于做完试题，并且出现一些老师认为会出现的错误。）

4. 要求学生把他们的试卷翻过来。

5. 做好准备，五分钟左右学生们会开始抱怨叹息，因为他们意识到自己犯了致命的错误，那就是在考试之前没有仔细阅读所有的题目要求。

6. 和学生们讨论一下，犯这样的错误感觉如何，以及他们可以从中学到什么。

活动4　技能测试2–遵循口头规则

简介：这个游戏发展了听力技能，用非批判性、娱乐化的方式，教导学生遵循口头规则的重要性。学生们完成一个非常简单的“听力测试”之后，发现总是有些题有困难，那是因为他们听听力的时候不专心。

这个活动可以多次使用，每次使用不同的测试题，并且通过评分对学生一学期内的听力技能有否提高进行反馈。

给学生提供一张纸，然后告诉他们，你要做的事情将会证明他们是否有很好地聆听和遵循老师指令。让他们知道，你将陈述每个规则，然后暂停，然后重复规则。另外，告诉他们，你不会第三次重复任何规则，所以他们必须非常仔细地听。之后向学生陈述下面的规则。

游戏人数：人数随意，学生独立完成

时间：5分钟

材料：内容适宜的测试题、有格子的纸、铅笔

游戏规则：

1. 为每个学生提供一张纸和一支铅笔。

2. 解释一下，接下来的活动将会评估他们倾听他人的能力。

3. 告诉他们，你将说出他们必须遵守的规则，你只会重复一遍，所以他们必须仔细听清楚。

4. 下面是一些规则的例子，可根据学生年龄段进行适当的修改：

（1）把你的姓氏写在这张纸倒数第三行的位置，并且首字母大写。

（2）沿着最长的边对折，然后打开这张纸，并翻过来，这样折痕处会突出来。

（3）在纸的折痕处最上端写一个数字“1”。

（4）沿着短边将纸对折。

（5）将纸打开，在两条折痕相交处画上一个点。

（6）用你的铅笔在这个点上戳一个孔。

（7）在孔周围画一个正方形，边长大约3厘米。

（8）在这张纸上第一行的左下角写上你的名字。

（9）在水平折线上写上数字“1”到“6”，使得竖直折线两边各有三个数字。

（10）在孔右边的第一个数字周围画一个圆形。

活动5　不可思议的清单

简介：列清单是培养思辨能力的好方法。当你把这个清单做得令人匪夷所思的时候，课堂会变得更加幽默有趣。这个游戏是增加趣味性、导入课程主题和建立良好师生关系的不二法宝。

游戏人数：人数随意，两人一组

时间：5～10分钟

材料：纸、笔、各组需要完成的清单

游戏规则：

1. 把学生分成两人一组并分发需要完成的清单。

2. 每组学生需要选择两个主题，并且每个主题要写出十强名单。

可调整之处：

可以把三份清单的标题写在不同的卡片上，然后贴在黑板上。每组成员可以选择一个标题去完成，完成之后可以再到黑板前选择第二个标题。

* 清单的标题可以如下：

圣诞老人的罪过

霍默·辛普森（Homer Simpson）绝不会做的事情

你永远不会在豪华餐厅里找到的食物

导致饼干碎掉的原因

你买不到的东西

你买不到的薯片口味

以“J”开头的有趣单词

你不该在海滩上穿什么

如果你被困在沙漠里你会错过什么

“钱”的同义词

表达“谢谢”的方式

表达歉意的方式

卡通片里的坏人

吃奶油鸡蛋的方法

致富方式

你可以训练蠕虫做什么

我去月球旅行需要的物品

我去钓鱼需要的物品

可怕的电影

活动6　猜谜游戏

简介：这个活动是培养学生的口语和表达能力的一种方式，也是巩固人际关系和创建良好班集体的有效手段。

游戏人数：5~30人

时间：取决于人数多少，一般10~15分钟

材料：一份适合学生年龄的电影和书目名单。你可以让每个学生写出十个书籍和电影的名称，然后把它们一起放在帽子里以供选择。

游戏规则：

1. 把学生分成两组。

2. 先让第一组的一个学生从帽子中拿出一张写有电影名或者书名的卡片，然后模仿给他的组员看。

3. 每组有两分钟的时间来猜题。如果他们在一分钟内猜对，得

两分；如果在两分钟内猜对得一分；如果没猜对，猜题机会转给第二组并且第二组会得一分。

4. 轮到第二组猜题，第二组的一个学生重新模仿一个新的电影名或者书名。

活动7　PPT展示

网上有一些好玩的图片，可以将这些图片复制到幻灯片上展示。这些图片可以用来补充教学内容、激发学生的讨论、练习演讲能力或者引出一个新的主题活动。

活动8　分类游戏

简介：在这个游戏中同学们需要一起找出每个分类中的物品名字，所以在这个有趣的游戏中，同学之间的关系能够得到很好的发展。

游戏人数：人数不限

材料：两份物品清单，比如干、湿、热、冷的物品，你可以吃、喝、穿、坐的东西，你可以在公园、海边、电影院、音乐会看到的事情，木制的、塑料、金属、玻璃的物品等等。很明显，在这个游戏中，可以通过选择恰当的物品种类，来和课程主题联系起来。

时间：10分钟

游戏规则：

1. 将全班学生分成两组，每组分配一份包含四五种物品的清单。比如：

i. 厨房用品

ii. 动物园的动物

iii. 服装类

iv. 运动器材

2. 每组为每个种类写出5个物品。

3. 每组轮流去猜测对方写了什么物品，比如第一组念出自己组的一个物品种类，第二组有一分钟的时间，尽可能地猜出第一组的清单中5个物品的名称。

第二组每猜对一个得1分，一分钟结束之后，第二组没猜对的物品数变成第一组的分数。

4. 两组交换，轮到第一组猜第二组写的物品名称。

例：

第一组的物品种类是“动物园的动物”，然后他们选择了“长颈鹿”、“猴子”、“斑马”、“犀牛”和“狮子”。

一分钟结束之后第二组猜出来“狮子”、“猴子”、“长颈鹿”和“斑马”，但是他们没能猜出“犀牛”，所以他们最终得到4分。第一组得1分。

活动9　猜词游戏

简介：在这个活动中，学生们成对或者成组去完成首字母相同的分类事物清单。在这个过程中，学生之间的关系和社交技能都得到了发展。这款游戏取自同名的桌游，适合各种教学主题。

游戏人数：人数不限

材料：活动8中的物品种类列表

时间：10分钟

游戏规则：

1. 把这个班分成两组。

2. 在黑板上写4到5个类别，比如“国家”、“电影”、“食物”、“工作”、“建筑”。

3. 让一个学生写一个字母，不包括“x”、“q”和“z”。

4. 开始计时并给学生三分钟的时间，每个种类写一个词，首字母都要是上一个学生写的那个字母。

5. 三分钟之后学生们公布自己的答案并且记1分，但是前提是另一组没有答对。

6. 每轮都要更换首字母。

活动10 看图猜词

简介：在这个游戏中，学生们成对或者成组地看图猜词。在这个过程中，学生之间的关系和社交技能得到了发展。这个游戏改编自同名的桌游，适合各种教学主题。

游戏人数：人数不限

材料：供学生书写的纸、画图工具

时间：10分钟

游戏规则：

1. 把这个班分成两组。

2. 每个组的成员都先想出让其他组猜的词，并且写在纸条上。

3. 第一组的玩家得到一个第二组出的词，然后在黑板上通过画图来表达这个词，让自己的队友猜，画图者不可以说话。

4. 如果1分钟内猜出这个词得2分，如果2分钟内猜出得1分。

5. 两组相互交换，第二组的成员画图猜词。

活动11 “找不同”

简介：在这个活动中，学生们成对或者成组寻找两张图片之间的不同。在这个过程中，学生之间的关系和社交技巧都可以得到发展。通过选择适当的图片，可以让这个游戏和教学主题联系起来，所以这个游戏适合各种教学主题。

游戏人数：人数不限

材料：从网上下载的有不同之处的图片

时间：10分钟

游戏规则：

1. 把班级分成小组或两人一组。

2. 用两张幻灯片展示几乎相同的图片。

3. 大家都有一定的时间去寻找两张图片之间所有的不同。

4. 第一个找出两张图片之间所有不同之处的组获胜，但是前提是你已经找到了不同。

活动12　疯狂的问题

简介：这个简单又有创意的活动，可以让学生去思考，而原本我们可能要花上好几个小时，才能让学生去思考。不要觉得这只是一个无意义的、打发时间的活动，提出一些疯狂的问题可以成功将学生团结起来，是创造班级凝聚力的好方法。没有什么方法比用“反复思考”来团结学生更好了，而且提出疯狂的问题可以刺激学生进行讨论。

游戏人数：人数不限

材料：一些奇怪但发人深省的问题，答案不分正确或错误，下面会列举一些问题。

时间：10分钟

游戏规则：

1. 准备许多写有疯狂问题的卡片，正面朝下放在讲台上。

2. 学生们两人一组，每组一个同学从卡片中挑出一张来。学生成对地讨论这些有趣刺激的问题，然后以组为单位分享自己的想法。

可调整之处：

大家可以围成圈进行讨论。

* 一些问题的例子：

你如何向盲人解释风的颜色？

长相和智力哪个更重要？

对付罪犯的最好办法就是把他们关进监狱吗？

生命的意义是什么？为什么我们在这里？

你能选择不爱一个人吗？

你愿意变得富有但是不健康，还是变得贫穷但是健康？

人们怎么看你？

如果我停止看某人，他们还存在吗？

如果一个仙女出现，并且说她可以对你施咒，让你不会再犯错误，你会让她这么做吗？

我是两年前的我吗？6个月前？1星期前？昨天？一分钟前？一秒钟前呢？

如果我和小时候的我或者昨天的我不一样，那么我小时候或者我昨天的照片真的是我的照片吗？

撒谎是可以接受的吗？

人类最伟大的发明是什么？

如果我呼气之后再屏住呼吸，我的体重会减轻吗？

事情往往是朝着最好的方向发展吗？事情总是会出错吗？如

果是，那么努力的意义是什么？

如果你在午夜出生，你的生日是什么时候？

如果……会发生什么？（这可以是对一家养兔场未来可能的发展进行讨论的开场白。）

我们的车一夜之间就没油了吗？

你妈妈中彩票了吗？

我们找到了治疗所有疾病的方法了吗？

活动13　写标题比赛

简介：在这个活动中，学生成对或者成组去为图片写搞笑的标题、对话框和想法框。在这个过程中，学生之间的关系和社交技能也得到了发展。学生们喜欢参与这种活动，并且能真正地调动起情绪，最终的结果是为学习之后的疲惫带来幽默。

游戏人数：人数不限

材料：各种有趣的图片，从网上可以很容易获得

时间：10分钟

游戏规则：

1. 先从网上、报纸或杂志上找到合适的图片。可以用谷歌的

“图片搜索”工具搜索“有趣的标题”，从66万张图片中选一张图片。然后用截屏软件把图片上的标题去掉。

2. 把图片贴在黑板上，给学生五分钟的时间，让他们两人一组想出最好的标题，然后以组为单位分享。

活动14　纸飞机

简介：这个活动使得问答环节不再无聊而是充满乐趣，学生们也能一直有兴趣完成这项任务。

游戏人数：人数不限

材料：准备一些纸飞机，打开这些纸飞机，上面写有和课程主题相关的问题。

时间：贯穿于上课的过程中，每次只需几秒钟

游戏规则：

把纸飞机扔向你的学生们，谁抓住了纸飞机就打开它，读出上面的问题并回答。

我知道你在担心什么，一旦学生们知道他们抓住纸飞机就要回答问题，那么即使飞机在他们能抓住的距离内，他们也会像一颗柠檬一样坐着不动。为了这个活动成功进行，你要么让纸飞机能够自

动落到某个学生手上，要么给学生提供去抓纸飞机的动力。比如，只要他们回答了问题，纸飞机就会在他们的方向重新起飞，他们不用再回答问题。如果这个还不足以引起他们的兴趣，你可以说只要他们抓住纸飞机，那么剩下的上课时间，他们都可以休息。

可调整之处：

可以设计一个5分钟的纸飞机制作与飞行环节，把这个环节作为不涉及课程主题的休息时间。这是一个很好的减压方式，可以调节无精打采的学生的情绪。给学生1到2分钟时间制作纸飞机，可以在黑板上写下要求，比如飞机外形最接近公牛眼睛的获胜。

活动15　跳舞

简介：这个游戏很精彩，可以给课堂增添欢声笑语，并让学生的身体和学习联系起来。

游戏人数：人数不限

材料：迪斯科音乐，这种类型的音乐能让你的双脚动起来并扭动臀部

时间：贯穿整个课程中，只需几秒钟

游戏规则：

1. 学生以组为单位进行游戏。

2. 向学生们解释，你在上课时会时不时放一首曲子。可以先试放一首歌曲，让学生们知道会发生什么。你要准备一些风格接地气的曲子，就是周六夜晚聚会活跃气氛的那种歌曲。告诉学生们只要一听到曲子，他们就必须站起来跳舞，摆出他们能想到的最好的姿态。

3. 每次跳舞结束后快速计分，组内所有成员都有在跳舞才能计分。

4. 记录好分数，在周末总结时，胜利的组可以得到奖励，比如减少家庭作业等等。

5. 老师要备有一套这种风格的歌曲。

活动16　单人喜剧表演

简介：你们班上是否有总是想吸引别人注意，并且总是争着当小丑的学生？当然，每个班上都有这样的学生。这个活动就是应付这类学生的好方法，你可以在提供机会给他们、让他们得到关注的同时，也给其他学生带来欢笑。

游戏人数：人数不限

要求：一个爱搞笑并且会单人喜剧表演的学生

时间：课程伊始、中间或结束前的几分钟

游戏规则：

私底下和这类学生谈话，告诉他们，他们确实很有幽默细胞，但是如果打扰别人学习，幽默就变成一种伤害了。告诉他们你有一个解决办法，你会给他们指定的时间和地点去发挥自己的幽默才能，但是在其他时候不可以再捣乱。

你可以让这些学生选择和课程主题相关的喜剧主题。可以把教室的一角布置成舞台，把红色天鹅绒窗帘挂在墙上，给他们一个模拟的麦克风和凳子，把你的教室改成喜剧俱乐部。

说不定这会成为你课上的一个固定节目，甚至你可以收取报名费。

下面提供有一个笑话的例子以防轮到你表演：

一个教授在他的哲学课开始之前站在讲台前，并且拿着一个空的蛋黄酱罐子。然后他将罐子装满高尔夫球，他问学生，罐子装满了么，学生都觉得罐子装满了。然后他拿起一盒小鹅卵石，把它们倒进罐子里。他摇动罐子让鹅卵石填充高尔夫球之间的空隙，他又问学生，罐子是否装满了，学生觉得装满了。教授接着拿起一袋沙子，往瓶子里倒了一些。他再一次问学生："罐子装满了吗？"学生们当然觉得装满了。最后，他拿起两罐啤酒，把它们倒入罐子

里。教授说："现在我想让你们认识到这个罐子代表你的生活。高尔夫球是你生命中重要的东西，你的家庭、你的孩子、你的健康和你的朋友。如果其他的东西都丢了，只剩下它们，你的生命还会充实。鹅卵石代表你的工作以及利用收入购买的重要物品，比如房子。沙子代表没那么重要的东西，比如财产、爱好等等。如果你一开始将沙子倒入罐子里，那么就没有空间装其他更重要的东西了，比如鹅卵石和高尔夫球。但是请记住，无论你的生活看起来多么充实，总有几杯啤酒的空间！"

或者如果你没有那么多的时间讲这么长的故事，这里还有一个比较短小的故事：就在刚刚，一个拥有特异功能的小矮子抢劫了一家银行，警方宣称这个小家伙还在逍遥法外。

活动17　有趣的多米诺骨牌

简介：这是一种测试学生聆听和遵守书面规则能力的有趣方法。

游戏人数：人数不限

时间：10分钟

材料：一套有趣的多米诺骨牌，牌上写有适当的书面说明。

多米诺骨牌制作模板（空白处可自行编辑指令）

游戏规则：

1. 给每个学生一张写有书面说明的多米诺骨牌。

2. 每张牌上的说明如下：

“在某人____________之后，你必须____________。”

一张牌上的说明会引出下一张牌，然后以此类推。第一张牌会有点不同，牌上只有一条说明。

例：

牌1：

请站起来大喊："我太高兴了！"

牌2：

在有人站起来大喊"我太高兴了！"之后，你必须站起来，拍五下手。

牌3：

在有人站起来鼓掌五次之后，你必须做五星连跳，然后大喊"这是五星连跳"。

……

3. 游戏继续，直到所有人完成任务。可以重复进行这个游戏，看他们完成游戏的时间能否缩短。

活动18　放松活动

简介：这个活动可能更倾向于放松，但这是一个很有必要学习的技能，也是对学习很有帮助的技能。

它可能不属于"乐趣"部分，但放松对学习来说是一项非常重要的技能，对学习会有很大的帮助。对于学生们来说，在一天的某些时间，比如说在体育课结束之后、上另一节课之前，进行放松活动是很有必要的。只要学生们克服刚开始尝试新活动时的不适应，习惯进行放松活动，他们就会开始期待和欢迎这种可以使自己冷静的机会，因为这能让他们在长时间的噪音和视觉刺激压力下休息一会儿。

放松活动值得我们把它的好处总结出来，去引起学生们对它的兴趣。

冷静下来，休息一下，缓解噪音压力和视觉刺激。培养放松能力可以有下面的好处：

- 提高创造力
- 清晰的思路
- 在重要的考试时间，能够冷静下来减缓紧张
- 使大脑更敏捷（这很有用处，例如在运动期间）

然而这个活动有一些要注意的地方，有时候太过放松会让你的学生打瞌睡，当然你可以不叫醒这些抵抗不住瞌睡虫诱惑的学生。

这些技巧虽然学习起来很容易，但是可以明显减轻压力和焦虑、使你放松、改善你的睡眠，还可培养出内心的平静和自我控制能力，这种感觉会渗透到你生活的方方面面。这个活动的效果是显而易见的，但是你必须持续几个月每天都进行放松练习，这样才能达到最

佳的效果。

游戏人数：人数不限

材料：无

时间：课程伊始、中间或结束前的几分钟

游戏规则：

有很多方法可以让你达到身心放松的状态。你可以找到很多这样的方法，但我们认为下面将要提到的两种方法是更适合学校使用的，并且费用低廉。坦率地说这些方法确实有效果且效果非常好，但是建议最好在上课伊始的几分钟进行。和很多事情一样，这些方法会在实践中磨合得更完善。

方法一：专注呼吸

你能在一些冥想课程中发现类似的方法。这是一种实用又简单的方法，这种方法可以放空大脑，减缓脑电波的波动，达到一种放松的“阿尔法”状态。

1. 坐直身体并保持舒适的姿势。随意坐在学校的各种坐椅上，这个举动本身就是一种放松。在这一步要多花一些时间，因为这一步很重要。鼓励学生坐直，就像有一根绳子把他们从头顶往上拉。

2. 确认他们的坐姿正确且舒适之后，下一步就是使用膈膜和整个胸腔进行“高质量呼吸”。

第一步

这一步使用隔膜来填充肺的下面部分。吸气使你的腹部鼓起来，但你的胸部要保持静止。呼气时胸部静止，腹部收回。如果你把手放在肚子上，你应该能感到每一次呼吸时，腹部都在鼓起和收缩。重复10次这样的动作。

第二步

这个步骤利用肋骨之间的肌肉来扩充胸腔和填充肺的上面部分。

这一次，吸气使你的胸部挺起，而你的腹部保持静止。呼气使你的胸部收缩，而你的腹部仍然保持静止。重复10次这样的动作。

第三步

现在你已经掌握了前两个步骤，第三步让这两个步骤一起进行。

首先是腹式呼吸，当你感到腹部无法再吸气时，转到胸式呼吸，直到感觉你的整个肺部被填满。然后先用胸式呼吸呼气，再用腹式呼吸呼气，这样你就能把整个肺部的空气清除掉。用这样的方法呼吸5分钟。

学习好步骤一和二，你可以在任何时候使用步骤三来使神经系统平静下来，或者使用步骤三来为一些更深层次的放松练习做准备。

下一步是通过将注意力集中在离开和进入身体的呼吸上，使身体平静下来。在这个阶段，学生们继续坐直，但进行正常呼吸，而不是试图深呼吸。我的冥想老师用一句话总结了这个过程："放松点，顺其自然，做得更少，完成得更多。"

这个方法仅仅是闭着眼睛坐着，用大脑之眼"看"呼吸怎样进入和离开腹部。请注意，重点是正常呼吸，即不要尝试快、慢、深、浅呼吸，就是正常地呼吸，并注意腹部。

方法二：关注身体

要认真地告诉学生，深度放松活动是多么有益的活动。深度放松很容易学习，每天只需要10分钟的练习，但对健康的益处是惊人的。每次你做这些练习，你就会教你的身体怎么放松。在我们这个忙碌的世界里，放松练习无疑已经被遗忘了！

我会使用许多自我催眠课程和冥想课程中常使用的台本。这样的台本有数百种，不过都大同小异。

如果你仔细阅读下面的要求，你会发现没有什么复杂的，只要把注意力集中在每一个身体部位上，你就能感觉到它放松了。

实际上坐着、站着或者躺着的时候都可以做放松运动。当然在一些没有垫子的教室里躺下是不可能的，最好的办法是让学生坐着。

* 台本：

舒舒服服地看着前方。不要用力凝视而是望着某个地方。如果睁开眼睛需要力气的话可以闭上眼睛，不要努力或者强迫任何事情，只是放松，顺其自然。

这种放松运动的目的，是用安静温柔的方式让你的身心逐渐放慢步调，不能强迫，要顺其自然。

如果你的思维开始高速运转、在思考解决问题的方法或者思考事情，请将你的注意力放到天花板上，然后顺其自然。当你的眼睛沉重得无法保持睁开的时候，你可以闭上眼睛。

过一段时间后，你就会开始意识到你身体的疲劳，而你之前并没有意识到这一点。

你会开始感觉到疲劳，特别是手臂、腿、后背、肩膀和脚部位的肌肉。你的身体在放松。

闭上你的眼睛，感受你身体上的这些感觉。

现在把注意力集中到你的脚上。用你的思想感受你的双脚。感觉脚底、脚趾和脚尖。感觉你的脚放松。感觉皮肤放松。感觉骨头放松。感觉细胞放松。

当你感觉它们的时候，你可能会觉得脚上有某种刺痛的感觉。这很好，这说明你的脚正在放松。

现在把注意力转移到小腿和胫骨上。感觉你的小腿和胫骨放松。感觉皮肤放松。感觉骨头放松。感觉肌肉放松。感觉细胞放松。

你可能会在你的小腿和胫骨上感觉到某种刺痛的感觉。这很好，这说明你的小腿和胫骨正在放松。

在短暂的停顿之后继续这个台本，注意力转移到身体的各个部位——大腿、腹部、背部、肩膀、手臂或手、脖子、头、脸上的嘴唇、嘴巴、舌头等等。

一旦完成整个过程，就让学生们绷紧他们的肌肉，从翘起脚趾到把他们的脸绷紧，并且坚持几分钟。重复这个动作，然后让他们闭着眼睛再次放松。如果他们按照这些要求来，他们现在应该非常放松。当然有些人可能都睡着了！

让他们安静地躺上五分钟左右，然后再继续上课。当他们处于这种极度放松的状态时，你也可以播放一些安静的音乐，或者让他们想象一个他们想要达到的目标。大多数年轻学生都喜欢这样想象。

The Fun

TEACHERS

Toolkit

第七章

激发学习动力的课堂活动

激发学习动力的活动通常是比较简短的，目的是为了在课堂教学时，激发思考、提高学生衰减的活力或者是激发学生的学习动力。这类活动在课程开始、中间或者结尾皆可使用。它同时也是加强团队互动和凝聚力的好方法，因为完成这类活动需要团队的合作、参与和兴趣。

不要错误地以为激发动力的活动是浪费时间，因为管理那些无聊、无精打采、缺乏活力和需要活动调节的学生，你会浪费更多的时间。当这类活动被恰当使用的时候，不论班上有哪些问题，它都可以保证集中学生的注意力。

这类活动还有增加记忆力的优点，即使是非常短暂的身体活动，也可以增加去甲肾上腺素和肾上腺素的产生，这两种激素可以起到巩固记忆的作用，还可以触发储存在肝脏糖原中的葡萄糖的释放，葡萄糖对记忆力也有帮助。

在可能的情况下，我们尝试让这类活动既能适合常规的班级规模（25～40名学生），也能适合小班规模（2～8名学生）。活动适合的具体人数规模，可以参考下面提到的活动“参与人数”部分。

请注意：

请在每一个活动的介绍部分向学生陈述这个活动的目的，并且在最后问学生一些问题。

比如“你对这个活动感觉怎么样？”“这个活动能让你觉得和团队相处更舒服/放松/热身/玩得开心吗？”“你从这次活动中得到了什么？”或者“在活动中你有没有觉得不舒服？”。尽管问太多这样的问题会让学生感到厌烦，让他们对本来觉得愉快的经历感到消极，但是这样的问题可以让学生不仅仅把这些活动当作游戏，而且会看作一种学习体验。当然要谨慎使用这些问题，时刻注意学生的反应。

最后，在选择活动时要记住以下几点：

- 注意时间和天气，特别是年龄较小的孩子容易受到极端天气的影响，可能会对某些活动过度兴奋。
- 注意活动空间要健康安全。
- 参与者的着装。

- 团队成员和成员之间的“情绪”。
- 学生的特殊教育需求。

活动1 写你的名字

参与人数：不限

材料：无

时间：5分钟

目的：使学生的注意力重新集中起来，缓解一下紧张的学习，提高学生的学习动力。

游戏规则：

学生站在老师前面，让学生举起右手，并且用想象出来的笔在空中写下自己的名。

然后让他们举起左手，在空中用想象的笔写下他们的姓，一般这一步比上一步难。

接下来他们要准备写姓和名，但是这时要把手背在身后，用嘴假装笔，去写姓名。记住，点横撇捺要书写到位。

* 跟学生解释一下，他们要写的很慢很慢，因为写太快会导致头部剧烈运动，这是有危险的，要注意健康和安全。

可以用其他身体部位替代嘴：可以假装笔放在耳朵里、放在肘部、放在肚脐上、放在鞋跟、放在背部的中间等等。

注：假装钢笔在肚脐眼里并写字总能让人开怀大笑，但要做好面对高年级学生摆出粗俗手势的准备。

活动2 足迹

参与人数：不限

材料：无，不过，教室一侧需要有可以移动桌椅的空间

时间：5分钟

目的：使学生的注意力重新集中起来，缓解一下紧张的学习，提高学生的学习动力。

游戏规则：

让每个人都站起来并在教室走动。告诉学生，他们需要用不同的动作模仿穿上不同类型的鞋子：

步行靴（走）

芭蕾舞鞋（跳舞）

运动鞋（俯卧撑）

雨靴（高抬腿走，模仿走在泥泞的路上）

高跟鞋（踮着脚尖走路）

凉鞋（躺下晒日光浴）

马靴（像骑在马上）

礼服鞋（优雅地走路、昂首挺胸、礼貌地互相问候）

按任意顺序喊出鞋子的名字，并要求班级成员做出适当的动作。

玩一会儿之后以“凉鞋”或“拖鞋”结束，在进入下一个活动之前，可以休息一会儿。

替代选择：

* 如果地板是脏的，用“拖鞋”（坐下放松）代替“凉鞋”。

活动3 “Zip，Zap，Boing”游戏

人数：不限

材料：无

时间：5～10分钟

目的：使学生的注意力重新集中起来，缓解一下紧张的学习，提高学生的学习动力。

游戏规则：

让大家都站成一圈。

一个人说“ZIP”，然后开始很夸张地朝他左边的人模仿扔球或者扔飞盘的动作，这个扔的动作要尽量做得很夸张，老师可以示范一下。

然后大家一个接一个模仿扔的动作并且说“ZIP”，而且他旁边的人要模仿接球的动作。

这样轮过一圈之后，当有人接到球的时候，他可以选择说“ZAP”，然后他要把双手举起来，这样球或者飞盘会反弹回扔球的同学那里。这位同学需要把球扔给另一边，也就是他右边的人。

最后这个游戏可以加入“BOING”口号，拿到球的人可以喊出“BOING”，接着跳起来并指定一个人，然后球会传给这个指定的学生，他可以继续决定选择“ZIP”、“ZAP”，还是“BOING”。

这个游戏要感谢纽卡斯尔人民剧院提供的灵感。

活动4　电影语录

人数：不限

材料：无，但要关心一下艾迪·墨菲的电影。

时间：5~10分钟

目的：使学生的注意力重新集中起来，缓解一下紧张的学习，提高学生的学习动力。

游戏规则：

1. 在黑板上写或说“这句话来自哪部电影？”

2. 写一段著名电影中的语录，然后让学生去猜这部电影。

这里有一些例子：

“我会回来的。”（《终结者》）

“我妈妈常说：生活就像一盒巧克力，你永远不知道你会得到什么。”（《阿甘正传》）

“艾黛丽安！！”（《洛奇》）

“曾经有个人口调查员想调查我，我把他的肝脏就着蚕豆和一瓶上好的基安蒂酒一起吃了。”（《沉默的羔羊》）

“我的宝贝。”（《指环王：双塔奇兵》）

“我是世界之王！”（《泰坦尼克号》）

小贴士

让学生花几分钟的时间在纸条上写电影语录。把纸条放在帽子里，这样你就有了更多可以选择的语录。

活动5 混乱的色彩

人数：不限

材料：蓝色、红色、粉红色、黄色、橙色、绿色等颜色的彩色A4纸

时间：3～5分钟

目的：使学生的注意力重新集中起来，缓解一下紧张的学习，提高学生的学习动力，刺激左脑和右脑的思辨能力发展。

游戏规则：

1. 准备10～20张彩色纸，在每张纸上写一个颜色，这个颜色和纸本身的颜色不同。

2. 告诉学生，每次你举起一张纸的时候，他们必须大声喊出上面的单词。

3. 你可以加快速度来增加游戏的难度。

可调整之处：

这个游戏在白板上用PPT展示效果会更好，可参考下面网址资源库中的PPT模板：

http://needsfocusedteaching.com/kindle/fun/

活动6 唱歌接龙

人数：不限

材料：无

时间：3～5分钟

目的：使学生的注意力重新集中起来，缓解一下紧张的学习，提高学生的学习动力，增加团队凝聚力。

游戏规则：

1. 将参与者分组。

2. 让一个小组开始唱一首大家都熟悉的歌，比如《划船》或《伦敦之火》。

3. 在前一组唱到歌曲中第一句歌词的末尾时，另一组接着唱。

4. 之后下一组接着唱。

活动7 缓慢呼吸

人数：不限

年龄：不限

材料：无

时间：10分钟

目的：使学生的注意力重新集中起来，调节一下紧张的学习，提高学生的学习动力，缓解紧张建立信心。

游戏规则：

1. 让每个人慢慢地、平静地呼吸十次。一些人可能不理解这么做的原因，所以你可能需要给他们一些背景知识，来解释为什么他们要这样做。告诉他们，这是一种高级的瑜伽技巧，一些生活在喜马拉雅山脉洞穴里的灵修大师一直采用这些技巧。这种瑜伽运动能使精神变得清晰平静，有利于发展第六感和心灵能力。这些解释通常足以激起他们的好奇心，让他们去尝试这种活动。你也可以给他们一些更详细的要求，这样他们自由发挥的空间不大，也就不会做错动作了。

2. 慢慢地吸气，数到四，屏住呼吸，数到十二，然后慢慢呼气，数到八。这个比例为1∶3∶2的呼吸循环实际上是非常有利于使自己变得平静的。

活动8 “镜子”游戏

人数：不限

年龄：不限

材料：无

时间：5分钟

目的：使学生的注意力重新集中起来，缓解一下紧张的学习，提高学生的学习动力，刺激左脑和右脑的思辨能力发展，舒缓疲劳的肌肉。

游戏规则：

1. 把学生分成两人一组，一人为A，一人为B。

2. 让学生A做手部动作或伸展动作，而学生B同时模仿对方的动作。

3. 同伴之间互换角色或者交换同伴。

活动9 触摸物品

人数：不限

年龄：不限

材料：无

时间：5分钟

目的：使学生的注意力重新集中起来，缓解一下紧张的学习，提高学生的学习动力。

游戏规则：

1. 说出一个颜色，让学生们快速地触摸任何带这种颜色的物品，或者任何衣服上有该颜色元素的人。

2. 可以用各种材质或者其他区别来做标准，比如“玻璃制的物品”、“木制的东西”、“塑料的东西”、“圆的物品”、“中空的东西”等等。

活动10　戏耍

人数：少于40人

材料：想象出的不太活泼的马

时间：5分钟

目的：使学生的注意力重新集中起来，缓解一下紧张的学习，提高学生的学习动力，振奋精神。

游戏规则：

1. 学生面朝内围成一个圈，并且想象他们正在骑马。

2. 老师要求学生拍打自己的膝盖来模仿四只马蹄的声音。每个同学都要参与到其中来，老师会发出不同的指令，学生要根据指令“快速跑”、“慢跑”、“慢步走”，模仿出不同节奏的马蹄声。

3. 然后老师可以加入一些新的动作指令：

- “跳过一个大栅栏”——每个人都停止拍打，把手放在空中直到马落地。
- “跳过篱笆”——每个人都在空中跳跃，大喊“嗨！”
- “在水里奔腾”——拍打脸部。
- “小心印第安人”——发出“呜呜”的声音。
- “对马挥马鞭”——用力拍打自己的屁股。

注意：

这个活动最适合相互之间十分了解并且合作默契的学生团体。如果参与者之间不够默契或者不够聪明，就很容易出现混乱。

活动11　起立坐下游戏

人数：不限

材料：不限

时间：4～5分钟

目的：使学生的注意力重新集中起来，缓解一下紧张的学习，提高学生的学习动力，振奋精神。

游戏规则：

1. 要求全班起立。

2. 老师问大家一个问题，难度可以稍难一些，可以是很多同学都不知道答案的问题。

3. 如果学生能想到答案，让他把自己的答案告诉旁边的人。

4. 老师告诉学生正确答案，告诉了同桌正确答案的人可以坐下。

5. 重复这个步骤，直到所有的学生都坐下。

根据教学的内容设计相关的有趣的问题，要确保那些能力不足的学生不会被单独剩下来。

可调整之处：

游戏规则也可以是学生们站起来，轮流告诉同学自己从上一课中学到的一件事。然后这个同学坐下，下一个同学接着说。为了避免重复，可以在小组中进行，学生只在小组中给出答案。站着和坐着的可以互换，也可以允许说离题的答案，这样学生们在这个问题上有困难的时候，就不会因为说不出答案而总是站着不动了。

活动12　拉伸运动

人数：不限

材料：无

时间：4～5分钟

目的：使学生的注意力重新集中起来，缓解一下紧张的学习，提高学生的学习动力，振奋精神。该活动的好处是很容易与课程内容联系起来。

游戏规则：

1. 要求全班起立。

2. 展示一个小幅度的拉伸动作，比如，动一下身体的一个小部位，例如卷一下嘴唇、抽动一个手指等等，再展示一个大幅度的拉伸动作，比如双手伸展抵住天花板、抬腿等。在展示拉伸动作的同时，大声说出一个与主题相关的事实。

3. 每个人都要模仿这个动作并说出相同的事实，然后老师再指定另一个学生，去做出小幅度或大幅度拉伸动作，同时陈述另一个与主题相关的事实。这个学生必须号召其他人也这样做。

在继续上课前进行四五次这样的拉伸运动。

活动13 倒数数字

目的：使学生的注意力重新集中起来，缓解一下紧张的学习，提高学生的学习动力，振奋精神，形成团队凝聚力和团队精神。

说明：

这个活动是让学生从20数到1。这听起来很容易，但其实不然且容易出现混乱，因为没有人给学生下达命令，他们没有命令可以遵从。

人数：全班

材料：无

时间：10分钟

游戏规则：

1. 让学生闭上眼睛，然后跟学生说，他们需要从20数到1。

2. 在你宣布了任务开始之后，学生可能会有片刻的困惑，因为学生们会等着被告知如何开始。这时，你只需要看着他们不说话，一直到他们开始问你怎么回事。

3. 告诉他们每个人都可以最先喊"20"，之后下一个人必须说"19"。任何人都可以说数字，但是如果有两个人同时说出了相同的数字，那么重新从20开始数。

提示：

如果游戏总是要重新开始的话，学生们会变得沮丧，所以尽量让学生放松一点。在学生完成一次完整的倒数时，老师可以给出大大的赞赏，这样学生的集体成就感会更强。

活动14　逃学高手菲利斯[①]

目的：使学生的注意力重新集中起来，缓解一下紧张的学习，提高学生的学习动力，振奋精神，建立团队凝聚力和团队精神。

说明：

这类游戏的标题并没有透露太多游戏的内容，它让我想起在电影里菲利斯的老师试图确定他的下落。老师说："有人看到菲利斯吗，有谁看到没？"所以接下来看到游戏规则，你就明白是怎么回事了。

人数：全班

材料：无

① 英文游戏名为"Ferris Bueller"，是电影《春天不是读书天（Ferris Bueller's day off）》的男主角，他带着朋友一同逃学，在芝加哥市内到处游玩，被老师围追堵截。

时间：10分钟

游戏规则：

1. 学生们把椅子移动到一个大圆里，面向内，一个人站在中间（如果没有志愿者的话就指定一个）。

2. 中间的人问班上的其他成员一个问题作为开始。“有人早餐吃鸡蛋吗？”“有人买了一双阿迪达斯的足球鞋吗？”“有人去过法国度假吗？”问话者的目的是可以坐下。

3. 任何一个能回答“是”的人都必须从椅子上跳起来，然后走到另一个空椅子旁。与此同时，问这个问题的人必须找一把空椅子坐进去。没有成功坐上空椅子的人就是下一个问问题的人。

注意：

游戏中答“是”的人不能坐在他们旁边的椅子上，也不能回到自己的座位上，所以第三次世界大战一样的混战有可能爆发。这也是对你管理学生能力的考验。

显然，这个游戏的意图是要问一个问题，这个问题会让尽可能多的人站起来并交换座位。比如“有人讨厌学校吗？”，对于这个问题肯定很多人都会跳起来。

活动15　老师说……

目的：使学生的注意力重新集中起来，缓解一下紧张的学习，提高学生的学习动力，振奋精神，建立团队凝聚力和团队精神。

说明：

这是一个在态度积极的学生看来令人充满活力的词。它会让学生们站起来走动。它也会让他们歇斯底里。

人数：全班

材料：无

时间：在整个课程里偶尔几分钟

游戏规则：

1. 在任何你觉得班上学生萎靡不振的时候，要求每个人都站起来。告诉他们，这将和游戏“西蒙说”类似，只是每次你告诉他们做什么，他们就必须做。

2. 老师喊“走起来！”，学生们必须在地上轻快地走，挥舞着手臂。在小教室里的话要小心翼翼一点，就像在乡下经历一段快乐的短途旅行一样。

3. 老师喊“停！”并且提醒一下任何继续行走的人。一直重复走或者停的命令，直到你确定他们已经掌握了窍门。这是一个课堂上的热身活动。

4. 然后告诉学生，从现在起当你说“停止”的时候，就意味着走，当你说走的时候，就意味着停下来。让他们练习几次，为了让他们感到困惑，老师可以加快说指令的速度。

5. 接下来加入一些其他的指令，比如跳和跑。

你可以告诉学生：“当我说‘跳！’，你要跳上跳下。当我说‘跑！’，我想你们能猜到你们需要做什么。”

再次练习使用所有的四个命令（行走、停止和跳跃、奔跑），最后反转一下指令和动作：“从现在开始，当我说跑我是指跳，当我说跳跃我是指跑。”

你可以只使用这四个命令就让他们变得混乱或者筋疲力尽。当然，如果他们似乎能应付自如，你可以加入一些新的命令（摆动、拍打、弹跳、倒立等）。

提示：

如果你认真地运用这些幽默有趣的方法，你可以让学生的思想集中统一起来。但如果你发现自己只是想要长着两撇胡须，在聊天的时候抚弄一下胡子，优哉游哉的话，那你就端杯茶在角落里待着放松就行了。

智能课堂设计清单

帮助教师建立一套规范程序和做事方法

作者：[美]史蒂夫·斯普林格
布兰迪·亚历山大
金伯莉·伯斯安尼

定价：49.90元

出版社：中国青年出版社

ISBN：978-7-5153-5298-5

获美国《学习》杂志"教师必选奖"

获《中国教育报》"教师喜爱的100本书"奖

加州大学洛杉矶分校（UCLA）等名校追捧的课堂管理模式

美国教育界"金苹果"奖、麦格劳-希尔奖明星教师经典之作

这是一个真实的课堂，有趣极具吸引力的智能课堂；一套系统、严谨的规范程序，一条清晰的成长路径；100多种清单、图表、范例、步骤和方法，简单、具体、高效，可直接复制，让课堂教学秩序井然；用设计"清单"，持续、正确、高效地把工作做好，确保学生获得更为有效的学习体验。

◎ 智能教室布置设计
◎ 课堂管理工具箱
◎ 课堂教学技巧
◎ 考试和评估清单
◎ 行为管理方法
◎ 教室外活动清单
◎ 课程标准和要求
◎ ……